D1551256

La méthode pilates

pendant la grossesse

Photos: Ruth Jenkinson
Modèles: Emma Buckle, Melanie Campbell,
Claire Lyons, Rebecca Rochford Davies

**Catalogage avant publication
de la Bibliothèque nationale du Canada**

King, Michael

La méthode Pilates pendant la grossesse

Traduction de: Pilates for pregnacy.

1. Pilates, Méthode. 2. Gymnastique prénatale et postnatale. 3. Soins prénatals. 4. Soins postnatals. I. Green, Yolande. II. Titre.

RA781.4.K5614 2004 613.7'1 C2004-940950-6

Pour en savoir davantage sur nos publications,
visitez notre site: **www.edhomme.com**
Autres sites à visiter: www.edjour.com • www.edtypo.com
www.edvlb.com • www.edhexagone.com • www.edutilis.com

DISTRIBUTEURS EXCLUSIFS:

- Pour le Canada
et les États-Unis:
MESSAGERIES ADP*
955, rue Amherst
Montréal, Québec
H2L 3K4
Tél.: (514) 523-1182
Télécopieur: (514) 939-0406
* Filiale de Sogides ltée

- Pour la France et les autres pays:
INTERFORUM
Immeuble Paryseine, 3, Allée de la Seine
94854 Ivry Cedex
Tél.: 01 49 59 11 89/91
Télécopieur: 01 49 59 11 96
Commandes: Tél.: 02 38 32 71 00
Télécopieur: 02 38 32 71 28

- Pour la Suisse:
INTERFORUM SUISSE
Case postale 69 - 1701 Fribourg - Suisse
Tél.: (41-26) 460-80-60
Télécopieur: (41-26) 460-80-68
Internet: www.havas.ch
Email: office@havas.ch
DISTRIBUTION: OLF SA
Z.I. 3, Corminbœuf
Case postale 1061
CH-1701 FRIBOURG
Commandes: Tél.: (41-26) 467-53-33
Télécopieur: (41-26) 467-54-66
Email: commande@ofl.ch

- Pour la Belgique et le Luxembourg:
INTERFORUM BENELUX
Boulevard de l'Europe 117
B-1301 Wavre
Tél.: (010) 42-03-20
Télécopieur: (010) 41-20-24
http://www.vups.be
Email: info@vups.be

L'ouvrage original anglais a été publié
par Mitchell Beazley, succursale de Octopus Publishing Group Ltd,
sous le titre *Pilates for Pregnancy*

Dépôt légal: 3e trimestre 2004
Bibliothèque nationale du Québec

ISBN 2-7619-1955-6

Gouvernement du Québec – Programme de crédit d'impôt pour l'édition de livres – Gestion SODEC – www.sodec.gouv.qc.ca

L'Éditeur bénéficie du soutien de la Société de développement des entreprises culturelles du Québec pour son programme d'édition.

Nous reconnaissons l'aide financière du gouvernement du Canada par l'entremise du Programme d'aide au développement de l'industrie de l'édition (PADIÉ) pour nos activités d'édition.

La méthode pilates

pendant la grossesse

Michael King
et Yolande Green

Traduit de l'anglais
par Isabelle Chagnon

TABLE DES MATIÈRES

INTRODUCTION

Yolande et moi avons aidé un grand nombre de femmes enceintes à vivre cette expérience excitante et satisfaisante qu'est l'amélioration de la posture corporelle ainsi que l'accroissement de la force et de la flexibilité du corps au cours de la grossesse. Nous avons partagé leur enthousiasme autant que les craintes et les inquiétudes qu'elles éprouvaient relativement à l'exercice physique prénatal. Nous avons également tenté de les aider à s'y retrouver parmi tous les conseils teintés de vérités et de mythes que leur prodiguaient des amis et des parents bien intentionnés.

C'est il y a vingt-deux ans, à l'époque où j'étais danseur à la London School of Contemporary Dance, que je me suis initié à la méthode Pilates. Même si cette méthode faisait partie de notre entraînement quotidien, je n'en saisissais pas vraiment l'importance au début. Ce n'est que lorsque j'y ai eu recours pour guérir une blessure au dos que j'ai réellement commencé à apprécier son pouvoir et son efficacité. La façon dont les mouvements de Pilates ont remis mon corps d'aplomb m'a réellement impressionné.

Il est très excitant de constater la popularité grandissante que connaît depuis quelque temps la méthode Pilates. À partir de ce que j'ai vécu lors de ma blessure au dos et de ma grande expérience de travail dans le domaine de la culture physique, j'en suis venu à réellement apprécier la vraie valeur ainsi que l'importance de cette technique.

Mon objectif est de transmettre les connaissances que j'ai acquises au fil des ans et de vous faire partager les secrets que j'ai découverts en cours de route et qui expliquent pourquoi cette méthode est si efficace. Le programme Pilates comprend des mouvements très variés et peut être enseigné selon divers styles et méthodes. Il se prête donc particulièrement bien à toutes sortes de modifications visant à l'adapter à la femme enceinte ainsi qu'à celle qui vient d'accoucher. Enfin, les exercices de Pilates sont à la fois sécuritaires et satisfaisants.

Au cours de mes vingt années de pratique à titre de moniteur de Pilates, j'ai eu l'occasion de travailler avec un grand nombre de femmes enceintes et de les aider à déterminer le niveau d'exercices qui leur convenait, tout en gardant comme priorité le confort et la sécurité. Pour ce faire, j'ai apporté certaines modifications aux mouvements en vue de les adapter à la situation particulière de la femme enceinte, et ces modifications constituent un aspect essentiel du programme expliqué dans les pages qui suivent. Dans le présent livre, nous tenons compte des changements que traverse le corps de la femme durant chaque trimestre de la grossesse et proposons, à chaque étape, plusieurs variantes correspondant à divers niveaux de forme physique.

Il est absolument nécessaire de comprendre les principes de la méthode Pilates pour profiter au maximum des effets bénéfiques des mouvements, en particulier ceux qui font intervenir les abdominaux transverses et le plancher pelvien – les muscles profonds qui sont sollicités lors de la grossesse et de l'accouchement. La méthode Pilates agit sur la posture, et on sait que le corps ainsi que la posture connaissent une importante transformation au cours de la grossesse. Par conséquent, cette méthode constitue une forme d'exercice en douceur qui répond naturellement aux besoins des femmes enceintes.

Chaque grossesse étant unique, il n'existe aucune série d'exercices qui convienne à elle seule à l'ensemble des femmes enceintes. Par exemple, les maux de dos et les malaises liés à la posture qui surviennent durant la grossesse sont souvent attribuables à des problèmes spécifiques dont l'origine remonte à une époque antérieure et peuvent être soulagés par des mouvements qui se concentrent sur les régions du corps affectées. Ainsi, le présent livre peut aider les femmes à soulager certains malaises directement liés à leur grossesse de même que des problèmes plus profonds nécessitant une attention particulière après la naissance de l'enfant.

L'exécution des mouvements et l'apprentissage des techniques se révéleront un aspect utile et essentiel de votre grossesse. Ils vous aideront à demeurer en forme, à vous préparer à l'accouchement et, comme l'expérience nous l'a démontré, à récupérer plus vite et à revenir plus rapidement à une vie normale et active après la naissance de l'enfant. J'espère que *La méthode Pilates pendant la grossesse* vous sera utile dans votre excitante démarche vers la santé et la bonne forme physique, autant pendant qu'après la grossesse.

Ce livre n'aurait pu voir le jour sans la précieuse contribution de Yolande Green, dont les connaissances et le dynamisme ont constitué un apport inestimable dans notre travail auprès des femmes enceintes. Je désire aussi remercier de tout cœur l'ensemble des personnes qui ont influencé mon enseignement, qui m'ont aidé à acquérir mes compétences et m'ont montré qu'il n'existait pas qu'une seule façon d'enseigner la méthode Pilates.

Au fil des ans, Yolande et moi avons travaillé auprès de nombreuses femmes, pendant et après leur grossesse, et nous avons constaté non seulement que les exercices de Pilates comptent parmi ceux qui ont les effets les plus bénéfiques durant la grossesse, mais qu'ils revêtent aussi, pour de nombreuses personnes, un caractère essentiel.

La plupart des gens vous diront qu'il vaut mieux prévenir que guérir. En travaillant de façon sécuritaire et efficace au cours de votre grossesse, vous pouvez contribuer à réduire les douleurs et les problèmes qui sont fréquemment associés à cet état. Pour certaines femmes, ces symptômes ne deviennent incommodants que plusieurs années après la grossesse, mais certaines faiblesses (dans le dos, par exemple), même minimes, risquent de s'aggraver à force d'exécuter les mouvements du quotidien.

Yolande et moi espérons que grâce au présent livre, vous serez en mesure de créer un programme qui contribuera à vous garder forte et en santé à toutes les étapes de votre grossesse et jusqu'à la période de récupération suivant l'accouchement. Nous croyons aussi qu'une fois que vous aurez goûté aux bienfaits de la méthode Pilates au cours de la grossesse, vous aurez envie d'intégrer ce programme d'exercices à votre vie quotidienne et de pratiquer cette technique pendant encore de nombreuses années.

MICHAEL KING

Fort de plus de 24 années d'expérience dans la pratique de la méthode Pilates, Michael King a commencé à utiliser cette technique alors qu'il était danseur à la London School of Contemporary Dance. Il a reçu sa formation auprès de Alan Herdman, qui a été le premier professeur à importer au Royaume-Uni cette technique créée à l'origine aux États-Unis. En 1982, Michael a ouvert son propre studio, Body Control, dans le quartier Covent Garden de Londres.

Deux ans plus tard, Michael déménage au Texas, où il administre un studio de la Houston Ballet Company tout en suivant un entraînement en danse aérobique, sport à l'époque récemment popularisé par Jane Fonda. Michael est aujourd'hui directeur général du Pilates Institute, le plus important centre de Pilates au Royaume-Uni. Il a signé la chorégraphie d'un grand nombre de spectacles à succès, notamment *The Blues Brothers* ainsi que *My Fair Lady* et *Godspell*.

YOLANDE GREEN

Yolande Green évolue dans le domaine de la culture physique depuis plus de 11 ans. Elle a enseigné la danse aérobique, le «step», le «spinning», le conditionnement physique et le Pilates. Elle étudie présentement en vue d'obtenir une maîtrise en santé et culture physique tout en effectuant des recherches sur les exercices adaptés à la grossesse. Elle a œuvré dans des maternités et dans des services de physiothérapie, notamment à l'hôpital Portland de Londres, et travaille dans le cadre du GP Referral Scheme (programme en vertu duquel les médecins généralistes prescrivent à leurs patients une série d'exercices adaptés à leur état) auprès de populations particulières.

Yolande est directrice générale du Schools' Fitness Advisory Service, un centre de formation pour les professeurs d'éducation physique qui enseignent dans les écoles secondaires, et agit également à titre de présentatrice et de professeur individuel pour le Pilates Institute. Elle a organisé de nombreux groupes d'exercices et d'éducation pré et postnatals, en plus d'être conférencière-invitée dans le cadre de congrès et d'ateliers portant sur la culture physique un peu partout dans le monde.

QU'EST-CE QUE LA MÉTHODE PILATES ?

AU cours des dernières années, on a constaté un regain d'intérêt pour les techniques d'exercices qui tiennent compte du pouvoir de l'esprit. La méthode Pilates, tout comme la méthode Feldenkrais, la technique Alexander et le yoga, fait partie de cette grande famille de techniques faisant intervenir à la fois le physique et le mental. Toutes ces techniques reposent sur une philosophie qui se démarque des idées conventionnelles en matière de santé et de conditionnement physique. Le Pilates est une méthode qui aborde la forme physique de façon holistique et dont l'objectif est d'augmenter la force et la mobilité du corps en plus de favoriser un bon alignement corporel.

L'ESPRIT ET LE MOUVEMENT

La méthode Pilates tient son nom de son inventeur, Joseph Pilates, qui a créé les exercices dans les années 1920. La méthode compte 34 mouvements originaux. Outre les exercices réalisés au sol, il existe aussi des mouvements nécessitant l'utilisation de certains appareils. Ces appareils, conçus par Joseph Pilates lui-même, possèdent des noms étranges et merveilleux tels que «chaise Wunda», «Cadillac» et «Pedi-Pul». Dans un studio de Pilates traditionnel, on travaille pendant la moitié de la séance avec des machines, et on consacre l'autre moitié à des exercices au sol. Chaque catégorie d'exercices offre des avantages particuliers.

À l'origine, le programme de Pilates comportait 34 mouvements, exécutés l'un à la suite de l'autre sans aucune modification ni variantes ; cette façon de procéder ne tenait pas compte des besoins individuels, comme par exemple ceux qui caractérisent la femme enceinte. Les modifications que nous avons apportées aux mouvements originaux sont donc essentielles, car elles prennent en considération les nombreux changements physiques qui surviennent durant la grossesse. Cependant, bien que notre approche soit unique en son genre, il existe d'autres façons de pratiquer le Pilates qui sont tout aussi avantageuses pour la femme enceinte.

La meilleure façon de pratiquer la méthode Pilates est de faire appel à un entraîneur, afin de recevoir un enseignement personnalisé. Toutefois, il est parfois difficile de trouver un entraîneur, sans compter que les services de ce type de professionnel sont souvent très coûteux. L'objectif du présent livre est de rendre la méthode Pilates accessible, pour que les femmes enceintes puissent l'apprendre par elles-mêmes.

Joseph Pilates a élaboré sa technique en se fiant à son instinct, en fonction de ce qui se révélait bienfaisant et efficace pour son propre corps. Il a ensuite progressivement modifié les mouvements au contact des personnes qu'il traitait, afin de les adapter à leurs besoins particuliers. Mais les principes de base de la méthode (voir pages 31 à 35) sont toujours demeurés les mêmes.

L'esprit est un outil très puissant. Les mouvements qui sont les plus difficiles à exécuter sont habituellement ceux qu'on aime le moins, mais dont les effets sont les plus bénéfiques. Si un mouvement est réalisé avec aisance, cela indique que la partie du corps concernée possède déjà force et mobilité. Vous pouvez alors utiliser ces mouvements pour explorer votre corps ainsi que les effets des merveilleux changements qui surviendront durant votre grossesse. Ces exercices peuvent aussi vous faire découvrir des problèmes particuliers auxquels vous devriez porter attention.

LES MUSCLES FONDAMENTAUX

La méthode Pilates est essentiellement une combinaison de taï chi et de yoga. Ses mouvements ont une qualité très semblable à ceux du taï chi, et un grand nombre d'entre eux s'inspirent des postures de yoga. Toutefois, ce qui rend le Pilates différent de ces deux disciplines, c'est l'importance accordée au centre du corps et à la puissance de ce centre, laquelle provient des muscles qui relient le bassin à l'intérieur de la cage thoracique et au diaphragme. Ces muscles servent à maintenir la posture ainsi qu'à soutenir la colonne vertébrale et le bassin.

Les principaux muscles constitutifs de ce noyau central de force sont les transverses de l'abdomen, les muscles multifides, les muscles du plancher pelvien, les grands droits de l'abdomen et les obliques. Les muscles transverses de l'abdomen constituent un épais corset qui encercle le centre du corps. Imaginez que les anneaux que l'on aperçoit sur le tronc d'un arbre scié représentent les diverses couches de votre force centrale. Les muscles transverses, parfois aussi appelés muscles de la ceinture abdominale, correspondent à l'anneau se trouvant le plus près du centre. Ils fournissent une stabilité au torse et un soutien au centre du corps, de façon que vous puissiez maintenir une posture correcte et droite.

Tous les mouvements du corps font intervenir les muscles fondamentaux. Ainsi, même lorsque vous levez le bras, les muscles de votre dos et votre abdomen sont sollicités et contribuent à la réalisation de ce mouvement.

Au cours de la grossesse, votre centre nécessite une plus grande stabilisation en raison des changements qui surviennent dans votre posture, votre poids et votre centre d'équilibre. En augmentant la force des muscles fondamentaux, soit les transverses, le plancher pelvien et les multifides, vous réduirez en partie la pression excessive qui s'exerce sur les articulations, les muscles et les groupes osseux avoisinants.

La méthode Pilates se concentre surtout sur les muscles fondamentaux les plus profonds. Elle comporte une séquence d'exercices permettant de faire travailler ces muscles profonds en faisant intervenir le poids (soulever la jambe), l'équilibre (se tenir sur une jambe en demeurant en position neutre) ou le mouvement (faire des cercles avec la jambe). Le centre du corps est également constitué par un autre groupe de muscles, ceux du plancher pelvien, qui aident à stabiliser le bassin et la colonne vertébrale.

À mesure que progresse votre grossesse, les muscles qui constituent votre centre (les abdominaux et les muscles du dos), de même que les muscles qui soutiennent votre poids, votre squelette et le poids du bébé en devenir sont de plus en plus mis à l'épreuve et subissent un stress grandissant. Par conséquent, il est grandement nécessaire, avant et pendant la grossesse, de renforcer et d'exercer ces régions.

Chaque fois qu'il est question d'exercer les muscles abdominaux, la plupart des gens optent pour les redressements assis, type d'exercice dont l'action se concentre sur les grands droits de l'abdomen. Or, comme nous le verrons plus loin dans le présent livre, ces muscles perdent une partie de leur force au cours de la grossesse en raison du phénomène de diastase (voir pages 22 et 23) et peuvent par conséquent devenir difficiles à exercer correctement. Les muscles centraux profonds jouent un rôle très important au cours de la grossesse ainsi que lors de la phase de récupération qui suit l'accouchement.

Les recherches ont montré que les muscles transverses et ceux du plancher pelvien étaient liés. En effet, lorsqu'on contracte les muscles transverses, les muscles du plancher pelvien sont eux aussi sollicités. Il importe de garder ce lien à l'esprit lorsque vous effectuerez les exercices qui sont expliqués plus loin dans le présent livre.

Il est essentiel que ces muscles se contractent avant le début du mouvement afin d'apporter soutien et force au centre du corps. Toutefois, en raison du lien entre ces deux groupes musculaires, il importe de se concentrer sur un seul d'entre eux à la fois. Par exemple, il n'est pas recommandé de contracter les transverses (ce qui a pour effet de tirer les muscles du bas de l'abdomen vers la colonne) et le plancher pelvien en même temps, parce qu'ils sont antagonistes. Ce point sera abordé en détail ultérieurement.

L'AMÉLIORATION DE L'APPARENCE DU CORPS ET AUTRES BIENFAITS

La méthode Pilates existe depuis soixante-dix ans, mais attire depuis peu l'attention soutenue des médias. De nombreuses vedettes de Hollywood en sont devenues des adeptes notoires. Grâce à cette avantageuse publicité, la méthode n'est plus exclusivement l'apanage des gens riches et célèbres, et ce qui jadis pouvait ressembler à l'étrange rituel d'un culte est dorénavant une activité très en demande dans les centres de conditionnement physique partout dans le monde. Si certaines personnes en viennent à s'intéresser au Pilates pour des raisons esthétiques, afin de sculpter avantageusement leur silhouette, d'autres commencent à s'y adonner sur les conseils de leur médecin ou de leur physiothérapeute. La méthode Pilates est une excellente technique de prévention qui fortifie le corps et aide à prévenir les blessures.

En raison de nos vies stressantes et en constant changement, nous sommes naturellement attirés vers les techniques alliant corps et esprit comme le yoga. Chaque technique comporte une approche particulière qui peut répondre à des besoins précis. De nombreuses disciplines, tel le yoga, interviennent sur la posture et consistent à maintenir diverses positions. Le taï chi, en revanche, est davantage axé sur la qualité du mouvement.

En procédant étape par étape, il vous sera possible de modifier l'apparence de votre corps ainsi que la façon dont vous bougez et dont vous vous sentez. Ce livre a pour objectif de vous faire progresser au fil des principaux changements que traversera votre corps pendant la grossesse, et de vous faire comprendre comment ces changements affectent la posture, la composition corporelle et la force dont vous disposez. En nous appuyant sur ces connaissances, nous vous accompagnerons tout au long d'un programme étape par étape en vous donnant la possibilité d'adapter les exercices là où vous le jugerez nécessaire et de les combiner et les jumeler en fonction des besoins de votre corps.

Les gens me demandent souvent combien de fois par semaine ils devraient s'entraîner, et ma réponse est toujours la même : plus vous en faites, meilleurs seront vos résultats. À l'évidence, il vous faut éviter de fatiguer vos muscles, en particulier les muscles fondamentaux, car ces derniers sont sollicités dans pratiquement toutes vos activités quotidiennes habituelles. L'important est de trouver un bon équilibre. On recommande habituellement de 20 à 30 minutes d'exercices, de trois à cinq fois par semaine. N'oubliez pas que la méthode Pilates ne se résume pas aux mouvements expliqués dans le présent livre. Elle exige également de porter attention à la façon dont vous bougez et dont vous faites usage de votre corps au cours d'une journée. La plupart des exercices de base comme la respiration ainsi que les mouvements du plancher pelvien et des muscles transverses peuvent être effectués pratiquement n'importe quand et n'importe où.

LA MÉTHODE PILATES ET LA GROSSESSE

De nombreux mouvements issus de la méthode Pilates peuvent procurer moult bienfaits à la future mère en lui permettant de maintenir une bonne posture, de soulager certains maux et douleurs récurrents et de mieux prendre conscience des changements qui affectent son corps. La technique permet aussi à la femme enceinte de suivre pendant toute sa grossesse un programme d'exercices sûr et efficace qui peut être adapté en fonction de l'étape de sa grossesse et des fluctuations quotidiennes de son degré d'énergie.

La méthode Pilates pendant la grossesse part des exercices et des mouvements originaux de la méthode en les modifiant au besoin, selon chaque stade de la grossesse. L'accent est mis sur les changements posturaux, l'entraînement des muscles et le conditionnement physique en préparation de l'accouchement.

Il existe des milliers d'exercices pouvant être considérés comme des mouvements de Pilates. La plupart dérivent des 34 mouvements originaux, mais l'ensemble d'entre eux se fondent sur les mêmes huit principes de base (qui sont expliqués plus en détail aux pages 31 à 35). Contrairement à d'autres types d'exercices, vous pouvez commencer à pratiquer le Pilates à n'importe quel stade de votre grossesse et en tirer quand même d'énormes bienfaits. Il n'est pas non plus nécessaire d'avoir été préalablement initiée au Pilates. Bref, il n'est jamais trop tard pour apprendre.

Pour de nombreuses femmes enceintes, la grossesse est un moment où elles éprouvent plus que jamais le besoin de se mettre en forme et de prendre soin d'elles-mêmes, et où elles sont pleinement motivées à le faire. Mais le choix d'exercices qui s'offre à elles est susceptible d'être plus restreint afin de respecter les critères de sécurité en période de grossesse et, en plus, de varier en fonction de ce qu'elles seront capables d'accomplir à mesure que se développera le bébé. Il se peut aussi qu'elles aient subi des blessures par le passé ou qu'elles éprouvent des problèmes de santé qui limitent les exercices qu'elles sont en mesure d'accomplir; il ne faut pas oublier que ces problèmes seront fort probablement exacerbés par la grossesse.

Si vous suiviez déjà un programme de Pilates avant de devenir enceinte, votre force centrale est déjà probablement assez développée. N'oubliez pas que vous devrez adapter votre programme de manière à prendre en compte les changements qui affecteront votre corps. En passant d'un niveau à l'autre, vous serez en mesure de mettre au point un programme efficace, avantageux et fonctionnel que vous pourrez poursuivre après l'accouchement et qui vous permettra de récupérer rapidement.

LA POSITION ALLONGÉE SUR LE DOS PENDANT LA GROSSESSE

Vous pouvez continuer de vous allonger sur le dos pendant votre grossesse jusqu'à ce que vous commenciez à vous sentir inconfortable, ce qui se produit habituellement au milieu du deuxième trimestre. Toutefois, il est possible que ce sentiment d'inconfort survienne plus tôt ou plus tard. De plus, il se peut que vous remarquiez, très tôt en cours de grossesse, que vos seins deviennent douloureux quand vous vous étendez sur le ventre. Encore une fois, procédez selon ce qui vous semble confortable, et n'oubliez pas que des modifications ont été apportées aux exercices pour tenir compte de ces facteurs.

Beaucoup de femmes se demandent avec inquiétude s'il est prudent de s'allonger sur le dos pendant la grossesse. Cette crainte est attribuable au risque de syndrome utéro-cave – ou hypotension en décubitus dorsal –, anomalie causée par l'utérus gravide qui comprime la veine cave inférieure et empêche le sang de retourner normalement vers le cœur. Cette pression peut entraîner un manque d'oxygène dans le système sanguin de la femme, ce qui réduit en retour le débit sanguin vers le fœtus. À long terme, cette interruption de l'alimentation en oxygène peut occasionner des dommages irréversibles à l'enfant.

Pour ne courir aucun risque, nous vous recommandons de ne pas demeurer étendue sur le dos plus de cinq minutes à la fois. Si, durant l'exécution d'un mouvement, vous êtes prise d'étourdissements, couchez-vous sur le côté et prenez un moment de repos. Si les symptômes persistent, consultez votre médecin.

LA PRUDENCE AVANT TOUTE CHOSE

Il est essentiel de garder à l'esprit qu'aucun programme d'exercices ne peut répondre à lui seul aux besoins de toutes les femmes enceintes. Votre forme physique, votre état de santé et vos antécédents en

matière d'exercice physique sont autant de facteurs qui influeront sur votre capacité à effectuer certains exercices.

CONSEILS EN MATIÈRE DE SÉCURITÉ

En plus de tenir compte des recommandations de votre médecin, suivez les directives indiquées ci-après pour que votre pratique de la méthode Pilates pendant la grossesse soit à la fois agréable et sans danger. Souvenez-vous que si vous avez subi une blessure ou éprouvé des troubles de santé avant de tomber enceinte, vous devrez tenir compte de ces facteurs durant votre grossesse, laquelle peut également avoir pour effet d'exacerber vos symptômes.

- Faites les exercices à intervalles réguliers, planifiez vos séances et prévoyez un moment précis dans la journée pour vous adonner à votre programme de Pilates. Comme vous ne pouvez reprendre le temps perdu, il est inutile de vous presser pour faire du rattrapage.

- Interrompez l'exercice si vous éprouvez des douleurs, et assurez-vous de choisir le niveau qui vous convient; vous pouvez même, au besoin, revenir au niveau précédent. Arrêtez-vous pour vous reposer si l'exercice entraîne quelque malaise que ce soit. Il se peut que certains exercices ne vous conviennent tout simplement pas. Si la douleur persiste ou qu'elle devient aiguë, consultez immédiatement votre médecin.

- Attendez au moins une heure après chaque repas avant de faire de l'exercice. Des mouvements exécutés trop tôt risquent d'occasionner des rots et des malaises abdominaux. En revanche, si vous faites vos exercices l'estomac vide ou qui gargouille, vous pourriez avoir des étourdissements et être prise de vertiges.

- Évitez de vous donner trop chaud et d'effectuer vos exercices dans une pièce surchauffée. Vous constaterez peut-être que vous vous échauffez plus rapidement qu'avant votre grossesse. Cela s'explique par le fait que la température du fœtus dépasse la vôtre de 0,5 degré centigrade. Certains changements hormonaux ainsi qu'une intensification de l'irrigation sanguine de la peau contribueront également à vous «donner chaud».

- Si, en plus de vous adonner au Pilates, vous suivez un programme d'exercices cardiovasculaires, assurez-vous de ne pas laisser trop s'accélérer votre rythme cardiaque. N'oubliez pas que le rythme cardiaque de votre bébé est déjà plus rapide que le vôtre.

- Cessez les exercices si vous éprouvez des symptômes d'épuisement, au nombre desquels figurent les nausées, les vomissements, les maux de tête, les étourdissements, les vertiges, l'essoufflement prononcé, la sensation de lourdeur dans la poitrine et la transpiration abondante. Si l'un ou l'autre de ces symptômes apparaît, cessez immédiatement les exercices et appelez votre médecin.

- Effectuez les exercices en douceur et respectez votre corps. Assurez-vous de toujours vous échauffer lentement et de ne laisser aucune tension s'insinuer dans vos articulations, en particulier la colonne vertébrale (voir la partie sur l'échauffement aux pages 50 à 59).

- Procédez lentement lorsque vous vous assoyez après avoir été étendue ou lorsque vous vous allongez au sol. Cette précaution est importante pour éviter les tensions dans le dos. Pour vous relever ou vous étendre, commencez par rouler sur le côté en utilisant les bras et les jambes pour vous soutenir. Il se peut que votre pression sanguine soit légèrement plus ou moins élevée que la normale, ce qui peut provoquer chez vous des étourdissements si vous changez trop rapidement de direction ou de position.

- Ne soulevez jamais du sol les deux jambes à la fois, car ce mouvement entraîne une trop grande tension dans les muscles du bas du dos. Même si, dans le cadre de votre pratique de la méthode Pilates, vous étiez capable d'effectuer ce mouvement avant de tomber enceinte, nous vous suggérons d'éviter les exercices qui exigent ce mouvement jusqu'à au moins six mois après l'accouchement.

- Pendant votre grossesse, il se peut que vous vous sentiez plus souple et flexible, ce qui s'explique par la présence d'une hormone appelée relaxine (voir page 24). Cette hormone a pour effet d'induire une plus grande souplesse ligamentaire (les ligaments relient ensemble les os d'une même articulation), rendant du même coup les articulations légèrement instables. Assurez-vous de toujours porter une attention spéciale à votre alignement quand vous effectuez les exercices.

- Portez des vêtements appropriés et confortables qui procurent un soutien adéquat (comme un bon soutien-gorge) et qui permettent une bonne évaporation de la transpiration.

AVERTISSEMENT

Il est particulièrement important de ne pas entreprendre de programme d'exercices sans avoir obtenu au préalable l'approbation de votre médecin si vous montrez l'un des signes ou des symptômes suivants :

- Vous êtes atteinte d'un trouble cardiaque ou pulmonaire.
- Vous souffrez d'un diabète qui est apparu avant ou pendant la grossesse.
- Vous faites de l'hypertension artérielle.
- Vous avez déjà accouché prématurément.
- Votre placenta recouvre totalement le col de l'utérus ou est implanté à proximité de ce dernier *(placenta praevia).*
- Vous souffrez de déficiences ou de maladies des muscles ou des os.
- Vous avez eu au moins trois fausses couches.
- Vous avez eu des crampes, du spotting ou des saignements au cours de votre présente grossesse.

Avertissement

LES BIENFAITS

Au cours de la grossesse, la posture d'une femme se modifie considérablement pour s'adapter à la croissance de l'enfant à naître, ce qui peut entraîner certains malaises et des problèmes d'alignement dans différentes parties du corps. En conséquence, il arrive que la femme se sente en panne d'énergie, qu'elle éprouve des douleurs, qu'elle se sente à bout de souffle et qu'elle souffre de raideurs musculaires. En suivant durant toute sa grossesse un programme d'exercices basé sur la méthode Pilates, la future maman peut soulager ces symptômes tout en se préparant à l'accouchement.

Au cours de leur grossesse, bien des femmes souffrent de maux de dos et d'autres douleurs mineures, qui perdurent souvent pendant un bon bout de temps après la naissance de l'enfant. Loin d'être inhabituels, de tels malaises physiques peuvent néanmoins saper votre énergie et perturber votre sommeil et vos périodes de repos. Or, si vous portez une attention particulière à la posture, à la force musculaire et à l'équilibre durant toute la grossesse – et apprenez comment vous tenir debout, vous asseoir et vous mouvoir convenablement –, ces maux et douleurs pourront être grandement réduits, voire entièrement évités. Par exemple, le fait de maintenir une bonne posture dès les premiers stades de la grossesse peut contribuer à garder votre niveau d'énergie à mesure que votre corps se transforme. De même, en maintenant un «alignement neutre» du corps (voir les pages 38 et 39 pour une explication détaillée de ce qu'est la position neutre), vous pouvez aider à réduire le stress ainsi que la tension exercée sur les muscles, les articulations et les ligaments, problèmes qui seraient autrement susceptibles de nuire à la détente et à la qualité de votre sommeil.

La méthode Pilates procure un entraînement à la fois mental et physique. Elle diffère des autres techniques de conditionnement physique en ce qu'elle agit sur les muscles profonds qui régissent la posture dans le but d'augmenter la force à partir de l'intérieur, d'accroître la stabilité du centre du corps, de rééquilibrer le corps et de corriger l'alignement postural.

Les exercices de Pilates ont pour effet de favoriser l'équilibre, le centrage (répartition égale du poids dans les diverses articulations), le bon alignement postural ainsi qu'un accroissement de la force de l'abdomen et du dos, en plus de développer les muscles du diaphragme. Ils constituent une préparation idéale pour le corps préalablement à l'accouchement et jouent un rôle important dans la récupération au lendemain de la naissance de l'enfant. La pratique régulière de la méthode Pilates:

- fortifie l'abdomen, ce qui permet un meilleur soutien du poids de l'utérus et du bébé et joue le rôle d'une éclisse pour la colonne vertébrale (en aidant à la maintenir en position neutre);
- facilite l'accouchement en renforçant les muscles du plancher pelvien et en procurant à la mère une meilleure conscience de son corps, ce qui lui permet de mieux se concentrer sur cette région;
- augmente la résistance;
- renforce et tonifie les abdominaux, ce qui rend ces muscles moins susceptibles de subir une séparation trop prononcée. De plus, en cas de séparation, des abdominaux plus forts auront tendance à revenir plus rapidement à leur position normale. Une séparation prononcée entraîne une réduction du soutien de la colonne vertébrale ainsi que des maux de dos;
- aide à adopter une bonne posture et fortifie le centre du corps, ce qui empêche le bassin de basculer. Une inclinaison trop importante du bassin vers l'avant peut entraîner des problèmes de posture ainsi que des douleurs au bas du dos;
- favorise la détente, améliore la qualité du sommeil et augmente le niveau d'énergie;
- améliore la circulation et aide à prévenir les varices et les crampes aux jambes;
- réduit les douleurs générales en améliorant la posture;
- favorise une bonne respiration au cours de l'accouchement et réduit les essoufflements pendant la grossesse;
- accélère la récupération au lendemain de la grossesse.

LA POSTURE PENDANT LA GROSSESSE

La posture est maintenue grâce à un mécanisme subconscient appelé réflexe postural. Ce réflexe peut être avantageusement influencé par l'exercice et servir à acquérir une meilleure conscience du corps. La grossesse peut avoir de nombreux effets néfastes sur la posture, dont certains peuvent persister après l'accouchement et refaire surface lors de grossesses ultérieures. La technique Pilates vous aidera à prendre conscience de ces changements qui s'opèrent dans votre posture.

Durant la grossesse, la bascule du bassin vers l'avant affecte la courbure de la colonne lombaire. En effet, le sacrum (la partie inférieure de la colonne vertébrale) et le coccyx (le petit os situé à l'extrémité du sacrum) sont fixés entre les deux os iliaques qui forment le bassin. Les muscles de la partie abdominale, en particulier les muscles transverses, sont indispensables au maintien d'un placement pelvien adéquat. À mesure que l'utérus et le bébé grossissent et que leur poids augmente, les muscles abdominaux doivent travailler davantage pour maintenir cette position adéquate.

Malheureusement, un grand nombre de femmes ne possèdent pas une force suffisante dans la région abdominale pour soutenir le poids de l'utérus et de l'enfant en pleine croissance tout en maintenant une bonne posture du bassin. Cette faiblesse force le dos à compenser en accentuant la courbure lombaire, qui à son tour fait basculer le bassin vers l'avant – ce qui entraîne de pénibles douleurs dans la région du bas du dos. De plus, les muscles abdominaux s'étirent en raison de l'accroissement du volume de l'utérus, procurant de ce fait un soutien réduit à la colonne vertébrale.

Bien des femmes enceintes éprouvent aussi des douleurs aux épaules et dans la partie supérieure du dos en raison de l'accroissement du volume de leurs seins. Le poids accru des seins incite les épaules à rouler vers l'avant, ce qui entraîne un rétrécissement des muscles de la poitrine et un étirement des muscles du dos.

La grossesse est une période où il est particulièrement difficile pour une femme de se concentrer sur sa posture. D'un mois à l'autre, en particulier au cours du dernier trimestre, des changements continuels viennent affecter son centre de gravité et l'alignement de son corps. Cela signifie qu'elle doit réapprendre à son corps à intervalles réguliers ce qu'est un « alignement neutre ».

LA POSITION DEBOUT

Lorsque vous vous tenez debout, surveillez votre tendance à relâcher les muscles abdominaux et à cambrer le dos afin de compenser le poids de l'utérus. La technique qui suit vous permettra d'éviter de cambrer le bas du dos et de prévenir les raideurs dans le haut du dos et les épaules.

AUTOVÉRIFICATION DE LA TÊTE AUX PIEDS

Essayez d'effectuer cette vérification de base de votre posture au moins une fois par jour. À mesure que la journée avance, vous constaterez peut-être que votre fatigue s'accroît et que vous êtes moins consciente de votre posture. Cette vérification rapide vous permettra de revenir à la posture neutre.

- Élevez légèrement les yeux, comme pour scruter l'horizon.
- Abaissez doucement les épaules, en les éloignant des oreilles.
- Tirez légèrement les épaules vers l'arrière, afin d'ouvrir la poitrine.
- Faites basculer le bassin vers l'avant et vers l'arrière, jusqu'à ce que vous sentiez qu'il est bien droit et qu'il n'y a aucune raideur dans la partie inférieure de la colonne vertébrale.
- Maintenez les jambes écartées de la largeur des épaules, avec la pointe des pieds très légèrement tournée vers l'extérieur.
- Assurez-vous que vos genoux sont alignés avec vos pieds, et qu'ils ne pointent ni vers l'intérieur, ni vers l'extérieur.
- Trouvez la position où votre poids est également réparti sur vos pieds.
- Inspirez et expirez doucement, en inspirant par le nez et en expirant par la bouche.

Rentrez légèrement le menton afin d'aligner la tête avec le corps. Faites légèrement basculer le coccyx vers le bas. Imaginez que vous avez une longue queue qui vous pend entre les jambes. Lorsque vous abaissez le coccyx vers le sol, la queue pend encore plus bas. Tenez-vous debout en maintenant entre les pieds une distance légèrement supérieure à la largeur des hanches, et gardez les pieds orientés vers l'avant. Les genoux doivent être légèrement fléchis. Concentrez-vous afin de centrer votre poids au milieu de vos hanches, de vos genoux et de vos pieds. Éloignez les épaules des oreilles, puis tirez-les un peu vers l'arrière. Vous sentirez votre poitrine s'ouvrir et la raideur dans le cou et les épaules se dissiper.

Si vous devez rester debout pendant une longue période, essayez d'appuyer un pied sur un tabouret bas ou sur une marche afin d'empêcher votre bassin de basculer vers l'avant. Si cela n'est pas possible et que vous devez vous tenir sur les deux pieds pendant une période prolongée, transférez votre poids d'un pied à l'autre ou basculez d'avant en arrière, des talons aux orteils.

En exerçant les muscles des jambes, vous aiderez le sang à remonter plus efficacement le long des jambes, ce qui préviendra les enflures et les varices.

LA POSITION ASSISE

Vous devez aussi maintenir un alignement adéquat lorsque vous êtes assise, en particulier si vous demeurez dans cette position pendant de longues périodes.

Tenez-vous bien droite sur votre chaise. Faites basculer le bassin vers l'arrière en creusant doucement les muscles de la partie inférieure de l'abdomen (muscles transverses). Puis, faites glisser les fesses légèrement vers l'avant en vous éloignant de l'arrière de la chaise, de façon que le creux de votre dos entre en contact avec le dossier.

Si vous devez vous pencher vers l'avant afin de taper sur un clavier ou écrire à un bureau, poussez les fesses vers l'arrière de la chaise et penchez le corps vers l'avant tout en gardant les muscles transverses rentrés. En position assise, il est parfois avantageux de surélever les pieds en les posant sur un tabouret bas.

Posture correcte
Les pieds sont écartés de la largeur des hanches, le poids est distribué également sur les deux pieds et le bassin est en position neutre (il ne bascule pas excessivement vers l'avant ou vers l'arrière). La colonne vertébrale est en position neutre, ce qui prévient toute compression dans sa partie inférieure; la poitrine est ouverte, les épaules sont abaissées et légèrement repoussées vers l'arrière, et le cou est allongé.

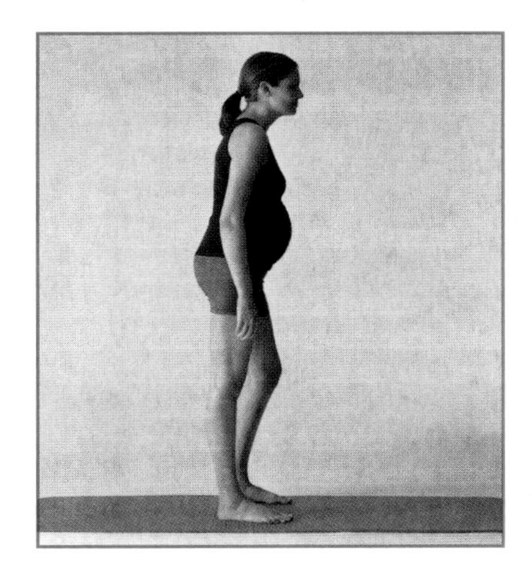

Posture incorrecte
Le poids est mal distribué, car il repose en grande partie sur la hanche et la cheville droites. Les hanches basculent vers l'avant et penchent d'un côté, ce qui entraîne un déséquilibre. Les abdominaux sont sortis, ce qui crée une tension dans le bas du dos et dans le bassin. Les épaules sont roulées vers l'avant, ce qui cause une tension dans les muscles de la partie supérieure du dos; le cou est raccourci et compressé, et la tête présente un avancement trop important.

LES LIGAMENTS ET LA SÉPARATION

L'un des changements les plus importants à survenir dans le corps d'une femme au cours de la grossesse concerne les ligaments et les tissus fibreux. En effet, le corps s'adapte judicieusement à la croissance de l'enfant en effectuant des changements mineurs de structure. En prenant conscience de ces changements et en usant de prudence au besoin, la future mère pourra éviter que ces changements aient des effets à long terme sur son corps. Elle sera également en mesure de récupérer au lendemain de l'accouchement sans que surviennent d'autres douleurs ou déséquilibres.

Au cours de la grossesse, le corps sécrète une hormone appelée relaxine. Produite vers la deuxième semaine de la grossesse, cette hormone atteint sa concentration maximale à la fin du premier trimestre. Sa quantité diminue ensuite de 20% et demeure constante jusqu'au lendemain de la naissance. La relaxine a pour rôle de détendre les ligaments du bassin et de permettre la séparation des surfaces articulaires, afin de créer plus d'espace à l'intérieur du cercle pelvien pour le bébé et de faciliter l'accouchement.

Malheureusement, la sécrétion de la relaxine ne se limite pas à la région pelvienne; l'hormone peut affecter les tissus fibreux dans n'importe quelle autre région du corps comme les hanches, les genoux, les coudes, les chevilles et la colonne vertébrale. Par conséquent, en cours de grossesse, il se peut que vous constatiez un accroissement de votre flexibilité corporelle. Évitez de trop mettre à profit cette souplesse nouvelle, car vous risquez de compromettre à long terme la stabilité de vos articulations.

Il se peut aussi que vous éprouviez de légers malaises dans la région du bassin, surtout dans la partie avant, au point de jonction des deux os iliaques, de même que dans la région pubienne inférieure et à l'arrière du bassin, là où celui-ci vient se rattacher à l'extrémité inférieure de la colonne vertébrale. Certains mouvements peuvent aider à relâcher ces régions et à soulager la douleur, mais vous devez vous méfier des exercices qui ont pour effet d'accentuer vos malaises. Si vous ne savez que faire, consultez votre médecin.

La relaxine demeure à l'intérieur du corps pendant trois à six mois après la naissance, et encore plus longtemps chez les femmes qui allaitent. Essayez de laisser à votre corps le temps de récupérer après l'accouchement avant de passer aux programmes plus avancés, en particulier ceux qui comportent des mouvements et des exercices avec sauts.

LES LIGAMENTS RONDS ET LARGES

Deux types importants de ligaments, les ronds et les larges, aident à soutenir le poids de l'utérus. Situés des deux côtés de l'utérus, les ligaments ronds vont se rattacher à la partie avant du bassin (voir illustration 1, page 25). Parfois, en cours d'exercices, il se peut que vous éprouviez un malaise dans la région de l'aine ou du vagin lorsque l'utérus, plus volumineux que de coutume, se déplace soudainement; il se peut que ce malaise provienne du ligament rond. Les ligaments larges (illustration 1) servent à amarrer le sac utérin à la colonne lombaire. À mesure qu'augmente le poids du bébé, les muscles abdominaux s'affaiblissent et le bassin bascule vers l'avant. Le poids du sac utérin peut alors tirer sur les ligaments larges, ce qui risque de causer un malaise dans la région de la colonne lombaire. Si les muscles abdominaux – en particulier les transverses – sont forts, ils empêcheront le bassin de basculer trop loin vers l'avant et l'utérus de tirer sur les ligaments larges.

LA SÉPARATION

Les muscles abdominaux doivent s'étirer tant dans le sens de la largeur que dans le sens de la longueur pour s'adapter à la croissance de l'utérus. Cette croissance est facilitée non seulement par l'étirement des muscles, mais aussi par la séparation de la ligne blanche (partie médiane tendineuse qui s'étend entre les deux grands droits de l'abdomen ainsi qu'entre les obliques et les transverses – voir illustration 2, page 25). Cette séparation se nomme diastase des grands droits. Dans certains cas, les grands droits, qui sont habituellement alignés l'un à côté de l'autre, s'écartent d'une distance de 8 à 15 centimètres. Si vous n'en êtes pas à votre première grossesse, l'écart entre les muscles est susceptible d'être plus grand encore, et il est possible que le poids de votre bébé se reporte vers l'avant plus tôt au cours de la grossesse.

LA SÉPARATION DE LA SYMPHYSE PUBIENNE

En préparation de l'accouchement, le bassin change légèrement de forme. L'articulation qui maintient ensemble les os iliaques se relâche, et les bornes

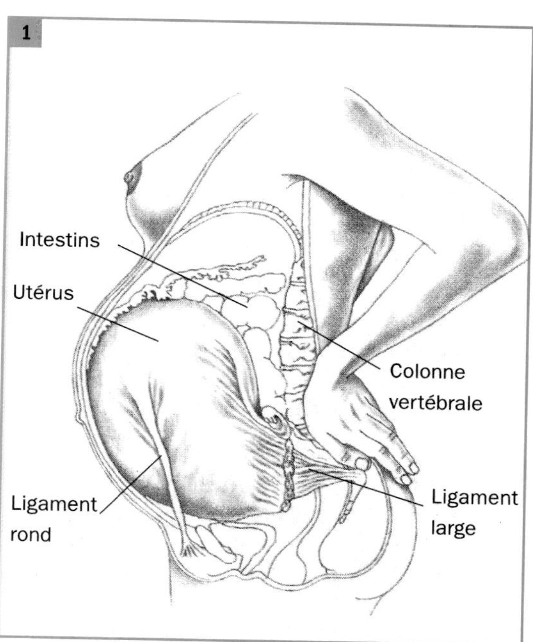

1. Les ligaments ronds et larges : le ligament rond s'étend depuis le côté de l'utérus jusqu'à l'avant du bassin ; souvenez-vous que ces ligaments sont situés de chaque côté du corps. Le ligament large s'étend de l'utérus jusqu'à l'extrémité inférieure de la colonne vertébrale.

2. Cette illustration montre les muscles abdominaux d'une femme qui n'est pas enceinte. Remarquez l'alignement des grands droits de l'abdomen.

3. On voit ici les abdominaux d'une femme arrivée au troisième trimestre de sa grossesse. La ligne blanche s'est élargie, et un écart est apparu entre les grands droits.

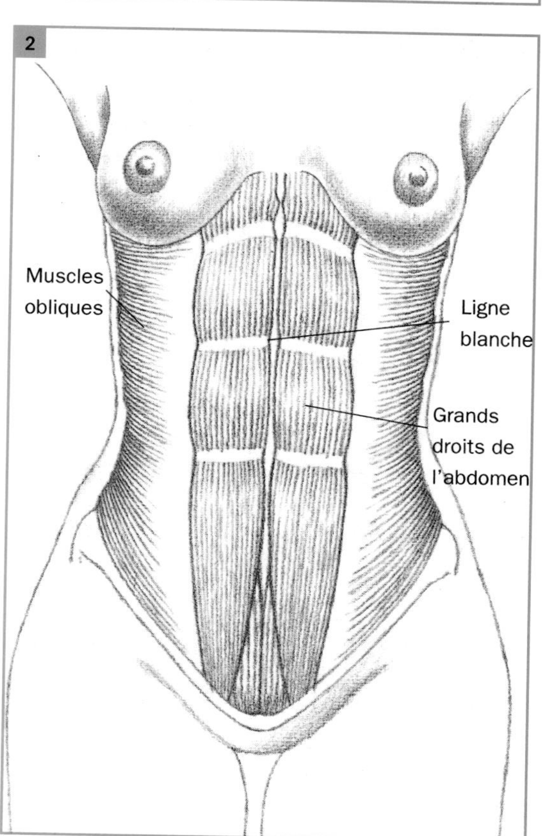

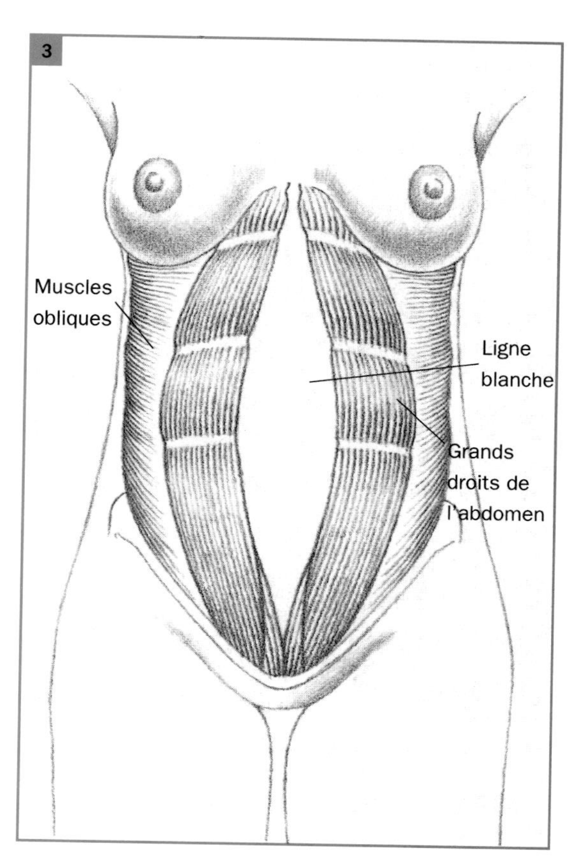

1. Allongez-vous sur le dos, les genoux fléchis et les pieds posés à plat sur le sol. Placez deux doigts à la verticale sur les abdominaux, juste au-dessus ou au-dessous du nombril.

articulaires se séparent sous l'action de l'hormone relaxine. Cette articulation, appelée symphyse pubienne, réunit les deux os iliaques à l'avant du bassin. Constituée d'un coussinet de cartilage d'une bonne épaisseur qui agit comme tampon entre les deux os, elle joue aussi un rôle important dans la stabilisation du bassin. Il s'agit de la région la plus affectée par la relaxine au cours de la grossesse.

Cette séparation est le moyen qu'emploie le corps pour élargir l'espace disponible à l'intérieur du cercle pelvien afin de faciliter le passage du bébé lors de l'accouchement. Certaines femmes sont même capables de sentir une séparation des os allant jusqu'à 2 ou 3 centimètres simplement en plaçant un doigt au centre de la structure osseuse qui se trouve juste au-dessus de la cavité vaginale.

Il est possible de réduire l'ampleur de la séparation en faisant certains exercices et en se servant de la force des abdominaux. Toutefois, il y a des exercices qui peuvent entraîner un accroissement de la séparation, notamment si vous êtes incapable de maîtriser la courbure des muscles du bas de l'abdomen. C'est le cas, par exemple, quand vous sentez les muscles de la partie inférieure de l'abdomen se bomber vers l'extérieur lorsque vous soulevez la tête du sol pour effectuer un redressement assis ordinaire.

Les muscles transverses, qui courent sur la longueur de la partie inférieure de l'abdomen, viennent se rattacher à la ligne blanche (la bande médiane fibreuse qui traverse verticalement la paroi musculaire de l'abdomen). En effectuant les mouvements de base de la méthode Pilates, vous pouvez contribuer à empêcher les abdominaux de se séparer de façon excessive, et augmenter du même coup la stabilité de votre centre (c'est-à-dire la colonne vertébrale, le bassin et les abdominaux).

Les exercices de Pilates qui portent sur les muscles transverses favorisent aussi grandement la récupération après l'accouchement et aident les abdominaux à reprendre leur position normale. En commençant toujours par creuser les abdominaux inférieurs, vous favoriserez ce processus. Ces exercices peuvent être accomplis n'importe quand – quand vous travaillez assise à votre bureau, en faisant vos emplettes, en attendant l'autobus, etc. Essayez d'imaginer les muscles de votre ventre rentrer doucement, comme pour enlacer votre bébé.

LE TEST D'ÉVALUATION DE LA SÉPARATION

Après la naissance de l'enfant, vous pouvez vérifier l'ampleur de l'écart qui sépare vos abdominaux. Cela constituera une bonne indication de la vitesse à laquelle votre corps aura récupéré. Si vous n'en êtes pas à votre première grossesse, la séparation et la faiblesse musculaire sont susceptibles d'être plus grandes, et vous pourriez avoir la sensation d'avoir

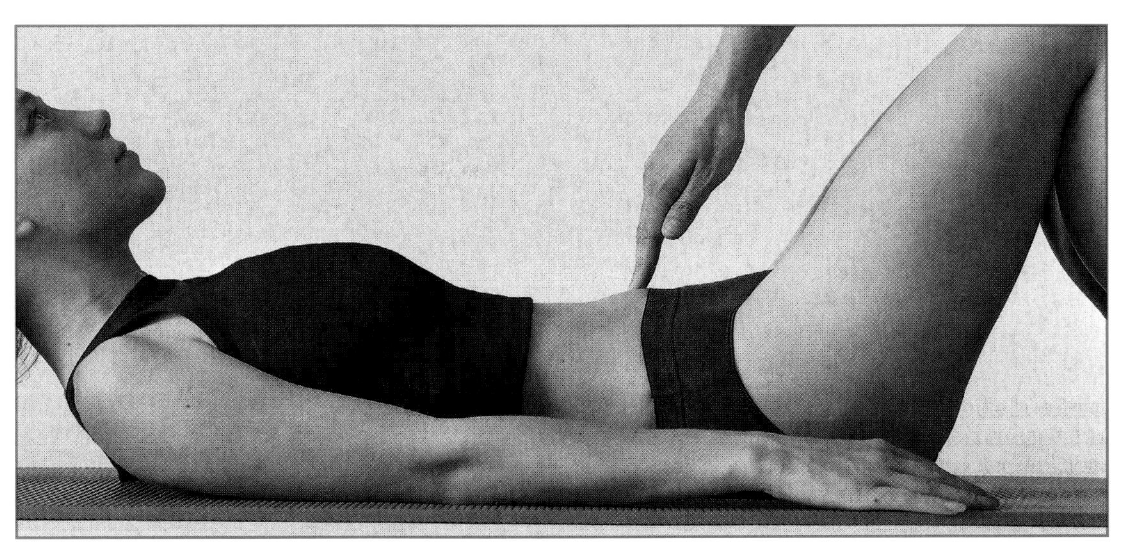

2. Soulevez doucement la tête et les épaules du sol. En même temps, pressez légèrement avec les doigts, en les déplaçant d'un côté à l'autre afin de localiser les parois des grands droits.

porté l'enfant plus loin en avant que lors des autres grossesses. Il en sera de même pour les femmes ayant porté plus d'un bébé. Le test expliqué ici devrait être facile à réaliser une semaine après l'accouchement. Si vous avez de la difficulté à y arriver par vous-même, demandez à un ami ou à votre conjoint de vous aider.

Allongez-vous sur le dos, les genoux fléchis et les pieds posés à plat sur le sol. Placez deux doigts à la verticale sur les abdominaux, juste au-dessus ou au-dessous du nombril. Pressez doucement sur les abdominaux (cela ne devrait entraîner ni douleur ni inconfort), en soulevant doucement la tête et les épaules du sol. Vous devriez être en mesure de sentir, avec les doigts, les deux parois des grands droits, et celles-ci devraient être situées non loin l'une de l'autre. Si vous n'arrivez pas à toucher les parois musculaires, placez les doigts à l'horizontale en faisant en sorte que les doigts situés à l'extérieur touchent les parois des grands droits, afin de mesurer la grandeur de l'écart qui les sépare – par exemple, êtes-vous capable d'insérer deux ou trois doigts entre les deux muscles? Si l'écart est de deux doigts ou plus, cela signifie que la séparation est toujours présente. Cette séparation est connue sous le nom de diastase des grands droits.

Pour permettre aux grands droits de revenir à leur position normale, vous devez éviter tout exercice qui exige de soulever la tête, comme par exemple les redressements assis, ou tout exercice comportant une rotation de la taille, comme les obliques au sol. Limitez-vous aux mouvements Pilates de base qui consistent à exercer les muscles transverses, comme il est expliqué plus haut.

Effectué à intervalles réguliers, ce test vous permettra de contrôler vos progrès. Si vous constatez que les grands droits ne reprennent pas leur position habituelle au bout de quelques mois, demandez l'avis de votre sage-femme ou de votre médecin. Si vous n'en êtes pas à votre premier accouchement ou que vous avez donné naissance à plus d'un enfant, il se peut que les grands droits prennent plus de temps à se réaligner.

En faisant trop hâtivement après la naissance des exercices de type redressement assis, vous risquez de faire en sorte que les grands droits demeurent indéfiniment séparés. Vous aurez alors le ventre bombé en permanence.

CHAPITRE UN

LES PRINCIPES

LES PRINCIPES

LES exercices de Pilates agissent sur les muscles profonds qui régissent la posture ; ils visent à augmenter la force à partir de l'intérieur en stabilisant le torse. Grâce à un réalignement du corps et à un rééquilibrage musculaire, le corps tout entier bouge plus efficacement. En utilisant conjointement votre esprit et votre corps, vous acquerrez une meilleure conscience corporelle et une plus grande maîtrise de vos mouvements. Les exercices de Pilates ont été conçus selon huit principes : la concentration, la respiration, le centrage, la maîtrise, la précision, le mouvement, l'isolement et la régularité.

LA CONCENTRATION

Chaque fois que vous exécutez un exercice, gardez l'esprit entièrement concentré sur sa finalité.

JOSEPH PILATES

La maîtrise de vos pensées, au même titre que celle de vos actions, n'est pas aussi facile qu'il n'y paraît. Lorsque vous êtes sous pression, vos pensées peuvent devenir très désordonnées et errer dans toutes les directions. Si vous êtes stressée, fatiguée ou mal à l'aise, il se peut que vous éprouviez de la difficulté à dormir, en particulier au cours du troisième trimestre de la grossesse. Cela se produit parce que vous êtes distraite et incapable de «faire le vide». Des pensées importunes s'insinuent alors dans votre esprit malgré vos efforts pour les chasser.

Lors de vos premières tentatives en vue de réaliser certains mouvements, il est possible que vous vous sentiez dépaysée et maladroite. Il est alors tentant de tomber dans le piège de la facilité et de n'exécuter que les mouvements qui vous plaisent, alors que ceux que vous auriez vraiment avantage à faire sont précisément ceux qui vous rebutent. Ce n'est qu'en vous concentrant que vous arriverez à maîtriser correctement vos actions.

LA RESPIRATION

La respiration est le premier acte que nous accomplissons en venant au monde. Notre vie en dépend. Or, des millions de personnes n'ont pas encore maîtrisé l'art de bien respirer.

JOSEPH PILATES

Il faut beaucoup de temps pour arriver à respirer correctement. De tous les principes, c'est celui qui donne du fil à retordre au plus grand nombre de personnes. C'est habituellement la dernière technique que les gens arrivent à assimiler. La principale chose à garder à l'esprit, c'est de respirer aussi fréquemment que vous le faites naturellement. Si, selon vous, un mouvement est trop long pour n'être accompagné que d'une seule respiration et que vous éprouvez le besoin de refaire le plein d'air en cours de route, n'hésitez pas.

LA MAUVAISE FAÇON DE FAIRE

S'il y a quelque chose à éviter, c'est de cesser de respirer quand vous exécutez les exercices. La plupart des gens retiennent leur respiration lorsqu'ils transportent un objet lourd, comme le font les haltérophiles quand ils soulèvent un poids. Or, il s'agit là d'une technique de respiration bien précise appelée méthode Valsavic, qui entraîne une augmentation stressante de la pression sanguine. Il vous faut absolument respirer de façon continue. Vous trouverez en page 40 une explication des exercices permettant de maîtriser la respiration.

LE CENTRAGE

La méthode Pilates contribue au développement uniforme du corps, à la correction de la mauvaise posture, au rétablissement de la vitalité physique, à l'éveil de l'intellect et à l'élévation de l'esprit.

JOSEPH PILATES

Les exercices axés sur le centre du corps agissent sur la cage thoracique, la colonne vertébrale et le bassin. C'est sur les muscles de ces régions que portent tout particulièrement les mouvements de Pilates. La difficulté réside dans le fait qu'il s'agit de groupes musculaires internes. Cela signifie que contrairement au biceps, que vous pouvez voir à l'œuvre, ces muscles sont situés loin en dessous de la surface. Il vous faut par conséquent vous fier à ce que vous sentez, sans aucun repère visuel.

Essayez d'imaginer que ces muscles forment un corset qui enveloppe le centre de votre corps, de la cage thoracique jusqu'au bassin. Plus on serre le corset, mieux votre colonne est soutenue. Or, au cours de la grossesse, il arrive que ledit corset perde de son élasticité! En effectuant des exercices de centrage et des mouvements de Pilates, vous arriverez à maintenir l'élasticité de ces muscles.

Il existe une autre façon de considérer ces muscles internes profonds, qui consiste à imaginer que le centre de votre corps est un tronc d'arbre. Supposons maintenant que l'on coupe cet arbre en deux: on aperçoit alors sur la souche de nombreux anneaux. Les anneaux externes (les plus larges) représentent les muscles que vous pouvez voir dans le miroir quand vous faites des exercices, comme par exemple ceux qu'on appelle la «tablette de chocolat». Les plus petits anneaux, situés près du centre de la souche, sont les muscles internes profonds que vous devez faire travailler. Enfin, le centre de l'arbre représente votre colonne vertébrale. À mesure que vous apprendrez à vous centrer et à respirer (voir page 40), vous serez capable de resserrer les anneaux de plus en plus près du centre.

Le centrage consiste également à localiser le centre de toutes vos principales articulations. Lorsque vous êtes en position debout, essayez de répartir également votre poids dans chacune de vos articulations, en particulier la colonne, le bassin et les genoux. Cette opération sera de plus en plus difficile à mesure que votre grossesse progressera, car votre centre de gravité changera constamment. En revanche, votre centre demeurera le même dans vos genoux et votre colonne, même si vous devrez rééduquer votre corps pour qu'il puisse localiser ce centre.

LA MAÎTRISE

On ne peut acquérir une bonne posture que si la mécanique du corps tout entier est parfaitement maîtrisée.

JOSEPH PILATES

Tous les mouvements de Pilates sont réalisés de façon lente et maîtrisée. Ils doivent être exécutés à une vitesse constante du début à la fin. Aucun mouvement ne doit être saccadé ou frénétique, car cela augmenterait le risque de blessure. Les mouvements lents sont beaucoup plus difficiles à maîtriser, et par conséquent plus exigeants et, en bout de ligne, plus efficaces. La pratique de la méthode Pilates vous révélera non seulement à quel point vous pensiez peu à vos mouvements auparavant, mais aussi à quel point le mental est nécessaire pour effectuer correctement les exercices.

LA PRÉCISION

Les bienfaits de la méthode Pilates dépendent entièrement d'une exécution des exercices en exacte conformité avec les instructions.

JOSEPH PILATES

Tous les mouvements de Pilates sont rigoureux et nécessitent de la précision à la fois dans l'exécution et dans la respiration – pensons par exemple aux nageuses synchronisées et aux chorégraphies extrêmement exigeantes qu'accomplissent les danseurs. Joseph Pilates pratiquait la boxe en plus d'être acrobate de cirque. Cela lui a permis de comprendre l'importance de la précision et d'acquérir une conscience aiguë de l'espace et du temps.

La plupart des gens ne sont pas conscients de l'espace qu'ils occupent et de la façon dont leurs mouvements se déploient dans cet espace. Étant donné que la méthode Pilates exige non seulement que vous bougiez correctement mais aussi que vous respiriez correctement, elle vous permettra de prendre davantage conscience de la façon dont vous générez votre espace personnel grâce aux principes de la précision et de la concentration.

LE MOUVEMENT

Elle est conçue pour vous procurer souplesse, grâce et aisance, autant de bienfaits qui se refléteront clairement dans la façon dont vous marchez, vous divertissez et travaillez.

JOSEPH PILATES

Les mouvements qui constituent les exercices de Pilates sont semblables à ceux du taï chi, qui sont lents, gracieux et maîtrisés. Comme dans le cas du taï chi, tous les mouvements de Pilates sont exécutés de façon continue et n'ont ni début ni fin. Rien n'est abrupt, tendu ou forcé.

PRENEZ VOTRE TEMPS

Un grand nombre de techniques d'exercices prévoient des répétitions, entre lesquelles vous devez faire un temps d'arrêt. Les mouvements de Pilates sont différents en ce sens que vous ne vous arrêtez que lorsque vous avez effectué le nombre de répétitions requis. Chacun des mouvements forme un long cycle continu, ce qui les rend d'autant plus difficiles à maîtriser.

L'AMPLITUDE MAXIMALE

Il est essentiel d'exécuter les mouvements avec toute l'amplitude que vous pouvez leur donner. Assurez-vous de faire travailler l'ensemble de votre corps et tous les groupes musculaires en appliquant la même force, la même intensité et la même résistance. Un effort équivalent devrait être employé pour l'extension et la contraction d'un même muscle. En travaillant de cette façon, vous acquerrez à la fois force et flexibilité.

L'ISOLEMENT

Chaque muscle peut contribuer, de façon coopérative et loyale, au développement uniforme de l'ensemble des autres muscles.

JOSEPH PILATES

Travailler chaque muscle isolément n'est qu'une possibilité théorique, car dans la réalité, tous nos muscles travaillent en groupe et de concert les uns avec les autres. En se concentrant exclusivement sur une seule zone du corps, on développe un muscle au détriment d'un autre, et l'équilibre corporel s'en trouve compromis. Une telle approche fragmentée est tout à fait contraire à la logique de la méthode Pilates.

L'ENDURANCE

L'un des objectifs de la méthode Pilates est d'améliorer l'endurance et la résistance des muscles profonds, en les amenant à travailler pendant des périodes de temps de plus en plus longues. Procédez lentement pour accroître votre résistance, et n'essayez pas d'effectuer trop hâtivement les exercices plus difficiles. Les exercices de Pilates devraient être intégrés à votre programme de mise en forme générale, sans constituer votre seule activité physique. Essayez d'inclure dans votre programme certains exercices d'aérobie comme la marche rapide.

LES MAILLONS FAIBLES

Essayez de prendre conscience de tout déséquilibre en matière de force musculaire ou de flexibilité quand vous effectuez les exercices, en particulier lorsque vous arrivez aux étapes plus avancées de votre grossesse. Concentrez-vous sur le plus faible des deux groupes musculaires, jusqu'à ce que vous en arriviez à un équilibre. Autrement, vous aurez beau devenir plus forte, mais vous resterez proportionnellement déséquilibrée. Pour mieux comprendre en quoi consiste un bon équilibre corporel, essayez l'exercice suivant.

Tenez-vous en position neutre, devant votre miroir. Tout en gardant les épaules détendues et la poitrine ouverte, commencez à faire des cercles avec le bras droit (voir page 54). Exécutez ensuite des cercles avec le bras gauche. Remarquez et sentez l'amplitude des cercles et celle du mouvement dans l'épaule et le dos. Comparez ce que vous sentez et ce que vous voyez. Est-ce la même chose? Les deux épaules restent-elles à la même hauteur? Ou y a-t-il une épaule un peu plus haute que l'autre? Essayez d'équilibrer le mouvement, en réduisant la grandeur des cercles réalisés par le bras le plus souple pour les faire correspondre à ceux de l'autre bras, de sorte que les deux côtés soient égaux. Cela pourra vous sembler un peu bizarre au début, mais cet équilibre est essentiel à la réussite de votre programme de Pilates.

LA RÉGULARITÉ

Prenez la décision d'exécuter vos mouvements de Pilates pendant 10 minutes chaque jour, sans exception.

JOSEPH PILATES

En intégrant vos exercices à votre routine quotidienne, vous pourrez tirer le maximum de votre programme de Pilates. La méthode Pilates n'est pas une solution miracle, mais elle vous aidera à atteindre de vrais résultats en exerçant en douceur un remaniement de vos habitudes quotidiennes.

TROUVER LE TEMPS

La façon la plus efficace et la plus simple de trouver le temps de faire vos exercices et d'incorporer le programme de Pilates à vos habitudes quotidiennes est d'aborder cette activité comme un important rendez-vous, en l'inscrivant à votre agenda tout comme vous le feriez pour un rendez-vous prénatal. Consacrer 30 minutes par jour à prendre soin de votre corps est un bien faible prix à payer quand on pense que vous en tirerez une sensation de bien-être accrue et une augmentation de votre taux d'énergie pendant la grossesse, que vous apprendrez à utiliser plus efficacement vos muscles pendant l'accouchement et que vous récupérerez plus rapidement à la suite de la naissance de l'enfant.

Comme dans n'importe quel domaine, plus vous en faites, plus rapides seront vos résultats. Examinez vos autres engagements, et décidez de façon réaliste combien de temps exactement vous pouvez consacrer à vos exercices de Pilates. Puis soyez patiente à mesure que vous tenterez de maintenir une pratique régulière.

LA PERSÉVÉRANCE

Malheureusement, la forme physique ne peut pas être emmagasinée dans le corps. Dès que vous cessez vos activités physiques, un grand nombre des bienfaits que vous aviez acquis disparaissent. Par conséquent, il importe de trouver un moyen d'effectuer les exercices sur une base régulière et de faire en sorte que ces exercices deviennent partie intégrante de votre mode de vie. Les bienfaits que vous constaterez de visu et que vous ressentirez devraient vous motiver à poursuivre votre pratique du Pilates longtemps après l'accouchement.

LE PLANCHER PELVIEN

En plus de contribuer au soutien des viscères et de l'utérus gravide pendant la grossesse, le plancher pelvien ou «diaphragme pelvien» a la faculté de s'étirer pour faciliter l'accouchement. Pendant la grossesse, les exercices faisant intervenir les muscles du plancher pelvien contribuent surtout à vous faire prendre conscience de ces muscles internes et de votre capacité à les activer et à les maîtriser. Ces exercices accroîtront votre capacité à détendre ces muscles durant le travail, ce qui facilitera d'autant l'accouchement.

Le plancher pelvien réagit également aux augmentations soudaines de la pression abdominale comme lors d'une quinte de toux, d'un éternuement, d'un éclat de rire ou de la réalisation d'un saut. Le plancher pelvien est un véritable hamac de muscles qui s'étend des os pubiens, à l'avant du bassin, jusqu'au coccyx, à l'arrière. Ces muscles se distribuent de chaque côté en éventail et se rattachent aux os pelviens. Le hamac est divisé en deux moitiés afin de permettre le passage de l'urètre, du vagin et de l'anus. Essayez d'imaginer que vos muscles abdominaux et vos muscles dorsaux forment un cylindre, et que la base de ce cylindre est constituée d'un tissu fibreux extensible (le plancher pelvien). Le cylindre est attaché à l'avant, et s'étire le long de la base pour aller se rattacher de l'autre côté. Lorsque vous remplissez le cylindre de billes (le poids du bébé), la base fibreuse les empêche de tomber par terre. Si la base est forte, elle pourra supporter le poids de billes supplémentaires; sinon, elle aura de la difficulté à tenir chaque fois que le poids augmentera.

LES EXERCICES POUR LE PLANCHER PELVIEN

Si la tonicité musculaire de votre plancher pelvien est élevée, rendant celui-ci comparable à un élastique tout neuf, les muscles auront la capacité de s'étirer afin de créer un passage pour l'enfant lors de l'accouchement, pour ensuite reprendre leur position normale. Par contre, si les muscles manquent de tonus et de force, il se peut qu'ils s'étirent de façon excessive et qu'ils s'affaiblissent, ce qui réduira d'autant leur capacité à se contracter avec vigueur et rapidité.

Durant la grossesse, la relaxine (voir page 24) agira également sur le tissu fibreux dont est fait le plancher pelvien, afin de permettre à celui-ci de s'étirer

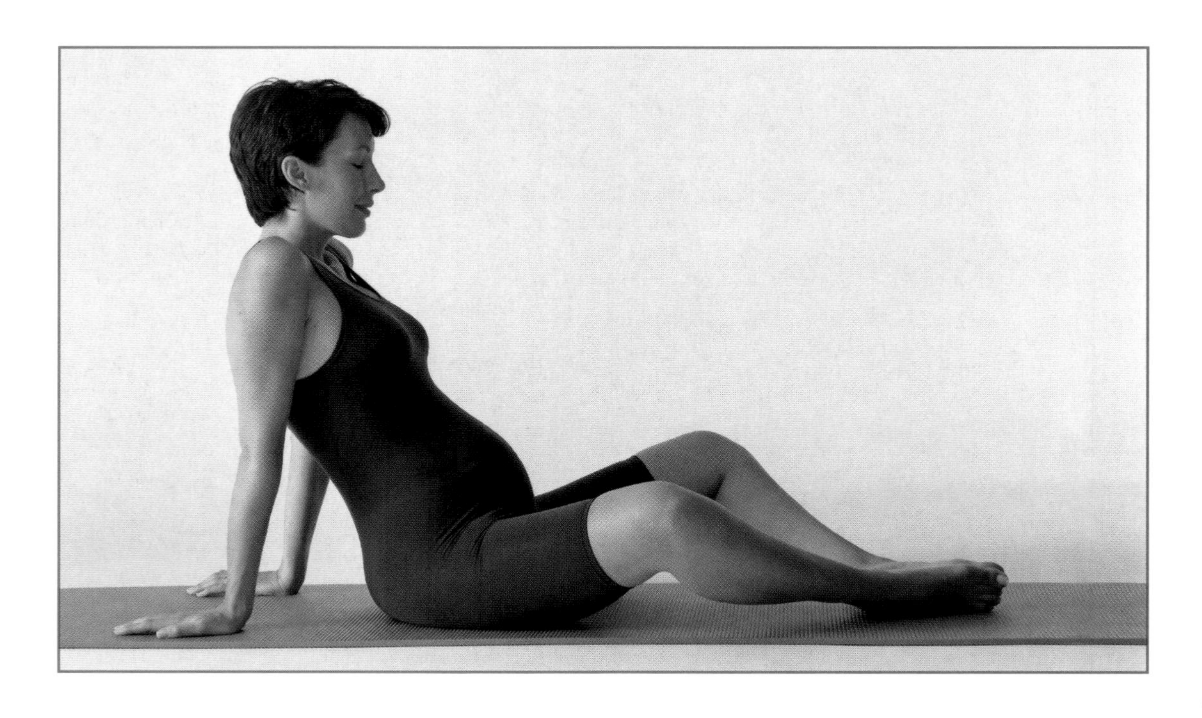

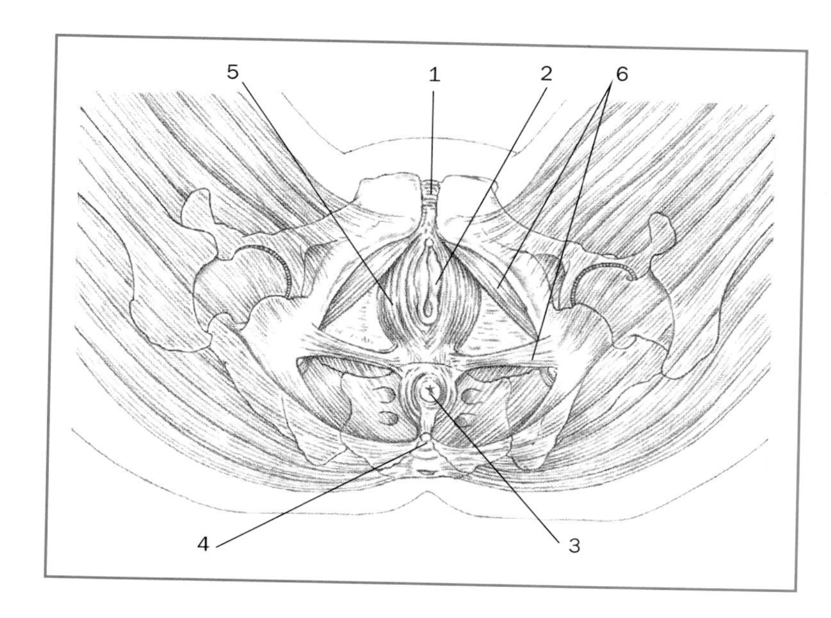

Le plancher pelvien

1. Symphyse pubienne
2. Vagin
3. Anus
4. Colonne vertébrale
5. Muscles périnéaux du plancher pelvien
6. Muscles adducteurs du plancher pelvien

adéquatement au moment de l'accouchement. Après l'accouchement, les muscles du plancher pelvien sont distendus, affaiblis et douloureux. Les exercices portant sur ces muscles contribuent à les tonifier dans le but d'empêcher tout dommage supplémentaire et de favoriser un prompt retour à la normale.

Les exercices suivants vous aideront à maintenir la force et le tonus de votre plancher pelvien, en plus d'accroître votre conscience de ces muscles pour que vous soyez en mesure de les détendre à volonté lors de l'accouchement. Ces exercices peuvent être effectués à toutes les étapes de la grossesse.

1- Assoyez-vous, tenez-vous debout ou allongez-vous confortablement au sol.
2- Concentrez-vous sur la région vaginale et anale. Essayez de contracter doucement les muscles de cette région, comme si vous vouliez interrompre le flot de votre urine.
3- Contractez les muscles le plus possible (comme lorsque vous serrez les poings); cette intensité de contraction est de 100%.
4- Relâchez les muscles à moitié, de façon à ne les contracter qu'à 50%, puis relâchez-les un peu plus, jusqu'à 30%.
5- Les exercices pour le plancher pelvien ont une efficacité maximale lorsqu'ils sont contractés à 30%, et non pas à 100%. Une fois que vous avez atteint ce 30%, comptez lentement jusqu'à cinq en essayant de maintenir la contraction, tout en respirant normalement. Si vous n'y arrivez pas immédiatement, ne paniquez pas, car la maîtrise de ce mouvement exige un peu d'entraînement.

1- Détendez les muscles du plancher pelvien. Imaginez que cet état de détente correspond au rez-de-chaussée d'un ascenseur.
2- Soulevez le plancher pelvien le plus possible, jusqu'au dixième étage.
3- Détendez-vous et recommencez, mais cette fois en ne vous rendant qu'à mi-chemin, c'est-à-dire au cinquième étage, puis relâchez lentement jusqu'au troisième. Vous voilà arrivée à 30%.
4- Maintenant que vous avez localisé le troisième étage, entraînez-vous à partir du rez-de-chaussée à monter les étages, en n'oubliant pas de vous arrêter à chaque étage pour permettre aux gens d'entrer dans l'ascenseur et d'en sortir.

Au troisième trimestre de la grossesse, vous devrez apprendre à détendre le plancher pelvien de même qu'à le contracter. Faites l'exercice expliqué ci-dessus, mais cette fois, quand vous arrivez au rez-de-chaussée, relâchez les muscles jusqu'au garage souterrain, et sentez votre plancher pelvien se détendre et s'ouvrir en même temps que vous ouvrez les portes de l'ascenseur.

COMMENT TROUVER LA POSITION NEUTRE

La notion de position neutre est un moyen d'expliquer en quoi consiste la position du corps lorsque celui-ci est centré. Se tenir debout ou s'allonger en position neutre veut dire que toutes les articulations sont alignées sur le même plan, y compris la colonne et le bassin. Si vous effectuez des exercices ou même que vous vaquez à vos tâches quotidiennes alors que votre corps est constamment hors de la position neutre, vous courez le risque de créer des déséquilibres musculaires et d'engendrer une tension excessive sur certaines articulations comme la colonne vertébrale.

Cette section est conçue pour vous aider à comprendre comment localiser la position neutre et à maintenir cette position pendant l'exécution des exercices. Une fois cette position trouvée, le défi consiste à la maintenir lorsque vous mettez votre corps en mouvement. Les exercices suivants vous aideront à comprendre en quoi consiste cette position. Souvenez-vous qu'à chaque mois de la grossesse, votre corps traversera divers changements; l'emplacement de votre position neutre changera donc elle aussi. Les exercices suivants devraient être exécutés dans le cadre de votre séance d'échauffement.

TROUVER LA POSITION NEUTRE EN STATION DEBOUT

Tenez-vous debout, les pieds écartés d'environ la largeur des hanches, les orteils orientés vers l'avant. Si vous n'êtes pas à l'aise, laissez les jambes dans leur position naturelle. Assurez-vous qu'il n'y a pas d'enroulement sur l'intérieur ou l'extérieur du pied ou du genou, et que votre poids est réparti également sur vos pieds.

Placez les mains sur le bassin, et faites doucement pivoter celui-ci vers l'avant et vers l'arrière. Quand vous pivotez le bassin vers l'avant, vous devriez sentir que la courbure du bas du dos s'accentue. Quand vous le faites pivoter vers l'arrière, vous devriez sentir vos épaules rouler vers l'avant. Exécutez ce mouvement doucement et à quelques reprises, puis voyez si vous pouvez vous arrêter à mi-chemin entre les deux extrêmes. Vous devriez alors sentir une courbe naturelle dans la partie inférieure de votre colonne (sans compression ni pincement) – vous avez localisé la position neutre de votre bassin.

Allongez la colonne vertébrale; imaginez qu'un livre est posé en équilibre sur votre crâne et qu'une ficelle attachée au sommet de votre tête vous tire doucement vers le plafond. Essayez d'allonger la colonne en élevant la tête et en abaissant le coccyx, c'est-à-dire en tirant ces deux parties du corps dans des directions opposées.

Laissez tomber les épaules, en les tirant vers le bas de façon à les éloigner des oreilles. Puis reculez-les légèrement et sentez votre poitrine s'ouvrir. Assurez-vous que votre menton n'est pas trop rentré, et n'oubliez pas que vous avez un livre en équilibre sur la tête.

AIDE-MÉMOIRE

1- Gardez les pieds et les genoux bien alignés.
2- Trouvez la position neutre du bassin.
3- Allongez la colonne vertébrale, de la tête au bassin.
4- Reculez les épaules en direction opposée des oreilles.
5- Gardez un livre en équilibre sur la tête!

EXERCICE 1

Cet exercice est conçu pour vous aider à comprendre comment réagit votre corps lorsque vous effectuez des mouvements après avoir trouvé la position neutre.

Allongez-vous sur le dos en position neutre, les genoux fléchis, et placez les doigts de la main droite sous la courbure du bas du dos. Évaluez l'ampleur de l'espace qui s'y trouve. Il est probable que la colonne touche à peine les doigts, sans exercer quelque pression que ce soit, et qu'il n'y ait pas beaucoup d'espace entre la colonne et les doigts. Gardez la main gauche posée sur le côté gauche du bassin.

Étendez la jambe droite jusqu'à ce qu'elle soit presque complètement allongée, puis repliez-la. La position de la colonne a-t-elle changé? De quelle façon? Essayez ensuite d'étendre la jambe gauche. Encore une fois, tentez de déterminer s'il y a mouvement dans le bassin et la colonne lombaire.

Si vous avez perçu un mouvement dans les hanches quand vous avez allongé une jambe ou l'autre ou encore quand vous êtes passée de la jambe droite à la jambe gauche, cela signifie que votre bassin et votre colonne ont légèrement dévié de la position neutre.

Essayez l'exercice de nouveau, tout en prenant bien conscience du mouvement. Une fois que vous avez retrouvé la position neutre, concentrez-vous afin de réduire au minimum le mouvement du bassin. Les muscles qui soutiennent la colonne et le bassin seront alors sollicités afin de maintenir cette position. Si vous percevez quand même un mouvement, cela veut dire que ces muscles ne travaillent pas encore suffisamment. En sollicitant ces muscles, le mouvement de la jambe rend plus difficile le maintien du bassin en position immobile. Vous trouverez plus loin dans le présent livre de plus amples renseignements sur la façon d'acquérir une plus grande maîtrise de ces muscles.

Les muscles transverses de l'abdomen travaillent au maximum de leur efficacité lorsque le bassin est en position neutre. Durant la grossesse, votre position neutre changera au fil des trimestres. Cela s'explique par le fait que le bassin pivote vers l'avant de façon naturelle à mesure que l'utérus et le bébé grossissent, ce qui entraîne une modification de l'espace situé dans le creux du dos. Trouver la position neutre deviendra alors de plus en plus exigeant à mesure que progressera votre grossesse. Vous devrez améliorer votre conscience corporelle afin de trouver une position confortable qui exerce un minimum de pression sur la partie inférieure de la colonne.

DES CHANGEMENTS CONSTANTS

N'oubliez pas que votre corps change de mois en mois, et que ces changements se répercuteront sur votre posture et vos muscles. Chaque mois, prenez le temps d'évaluer votre nouvelle position neutre, en n'oubliant pas de compenser l'accroissement de la taille du bébé et de prendre conscience des sensations que ces changements occasionnent dans votre corps.

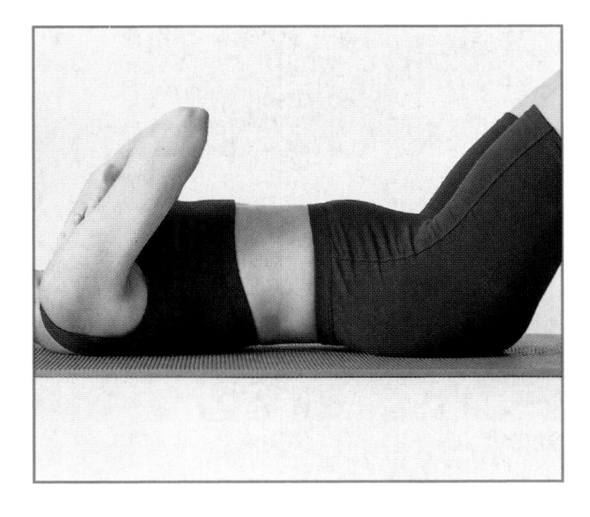

LA RESPIRATION

Joseph Pilates croyait en l'utilité de la respiration afin de nettoyer le corps et de lui redonner de l'énergie. La méthode Pilates prévoit l'utilisation de la respiration latérale et thoracique pour l'exécution des exercices. Cela signifie qu'il faut respirer dans la partie inférieure de la cage thoracique et du dos. Quand vous respirez, inspirez toujours par le nez et expirez par la bouche. Cette technique vous aidera non seulement à maîtriser les mouvements et à augmenter la flexibilité de la partie supérieure du corps, mais également à exercer les muscles abdominaux.

Essayez l'exercice suivant pour mieux comprendre comment inspirer.

Tenez-vous debout en position neutre : placez les mains sur la partie inférieure de la cage thoracique, sous la poitrine. À l'inspiration, sentez vos doigts s'écarter légèrement et vos côtes se dilater. Puis déplacez les mains presque sous les aisselles, et répétez l'opération.

Imaginez qu'un ami se tient derrière vous, les mains posées sur votre dos, juste sous les omoplates, et essayez de respirer dans ses mains. Si cela vous aide et que vous en êtes capable, pliez les bras vers l'arrière et posez le revers des mains sur votre dos ou demandez à un ami de se tenir derrière vous.

Pour mieux vous concentrer sur votre respiration, placez les mains de chaque côté de la cage thoracique, une sous le sein gauche et l'autre sous le droit. Essayez de ne respirer que dans la main droite ; procédez devant un miroir et assurez-vous que votre posture ne change pas pendant que vous respirez, par exemple, que vous ne transférez pas votre poids du côté droit. Ensuite, essayez de ne respirer que dans la main gauche. Prenez conscience de ce que votre corps éprouve de chacun des côtés – il se peut que vous sentiez de petites différences. Poursuivez l'exercice jusqu'à ce que la sensation soit la même des deux côtés. Pendant l'exercice, essayez de garder les épaules abaissées et le cou détendu. Répétez l'exercice cinq fois, en prenant soin de ne pas respirer trop profondément, car vous pourriez être prise d'étourdissements.

Lors de l'expiration, vous allez mobiliser les muscles posturaux profonds de l'abdomen et du plancher pelvien. Cette opération permet de trouver son centre, comme il est expliqué aux pages 32 et 33.

L'exercice suivant devrait vous aider à comprendre comment expirer et comment vous centrer.

Commencez en vous tenant debout, en position neutre. Placez les deux mains autour du nombril de manière à créer la forme d'un diamant (voir photo). Inspirez, puis à mesure que vous expirez, essayez de presser le diamant vers le centre de votre corps. Ce mouvement a en quelque sorte pour effet de vous vider de votre souffle. Répétez l'exercice, mais cette fois-ci en essayant de soulever le plancher pelvien (comme nous l'avons vu aux pages 36 et 37) en même temps que vous expirez.

Lors de l'expiration, concentrez vous soit sur le plancher pelvien, soit sur la gaine abdominale, et non sur les deux.

Vous pouvez aussi imaginer que votre ventre est un sac en papier brun rempli d'air. Quand vous expirez, c'est comme si vous compressiez doucement le sac de façon qu'il perde progressivement de son volume à mesure que l'air s'échappe par l'ouverture, qui correspond à votre bouche !

Cette technique de respiration exige un certain entraînement, alors ne vous en faites pas si vous ne réussissez pas immédiatement. Faire travailler tous ces muscles en harmonie avec l'appareil respiratoire présente assurément un degré de difficulté supplémentaire.

Lorsque vous exécutez un mouvement, expirez toujours à l'effort.

LA MAÎTRISE DE LA RESPIRATION

La respiration est le premier acte que nous accomplissons en venant au monde. Il faut du temps et de la concentration pour apprendre à utiliser la respiration pour mieux maîtriser les mouvements. Cette maîtrise de la respiration vous aidera non seulement à accomplir les exercices, mais aussi à relever plus efficacement les défis de la vie quotidienne comme le travail, le stress et les horaires trop chargés.

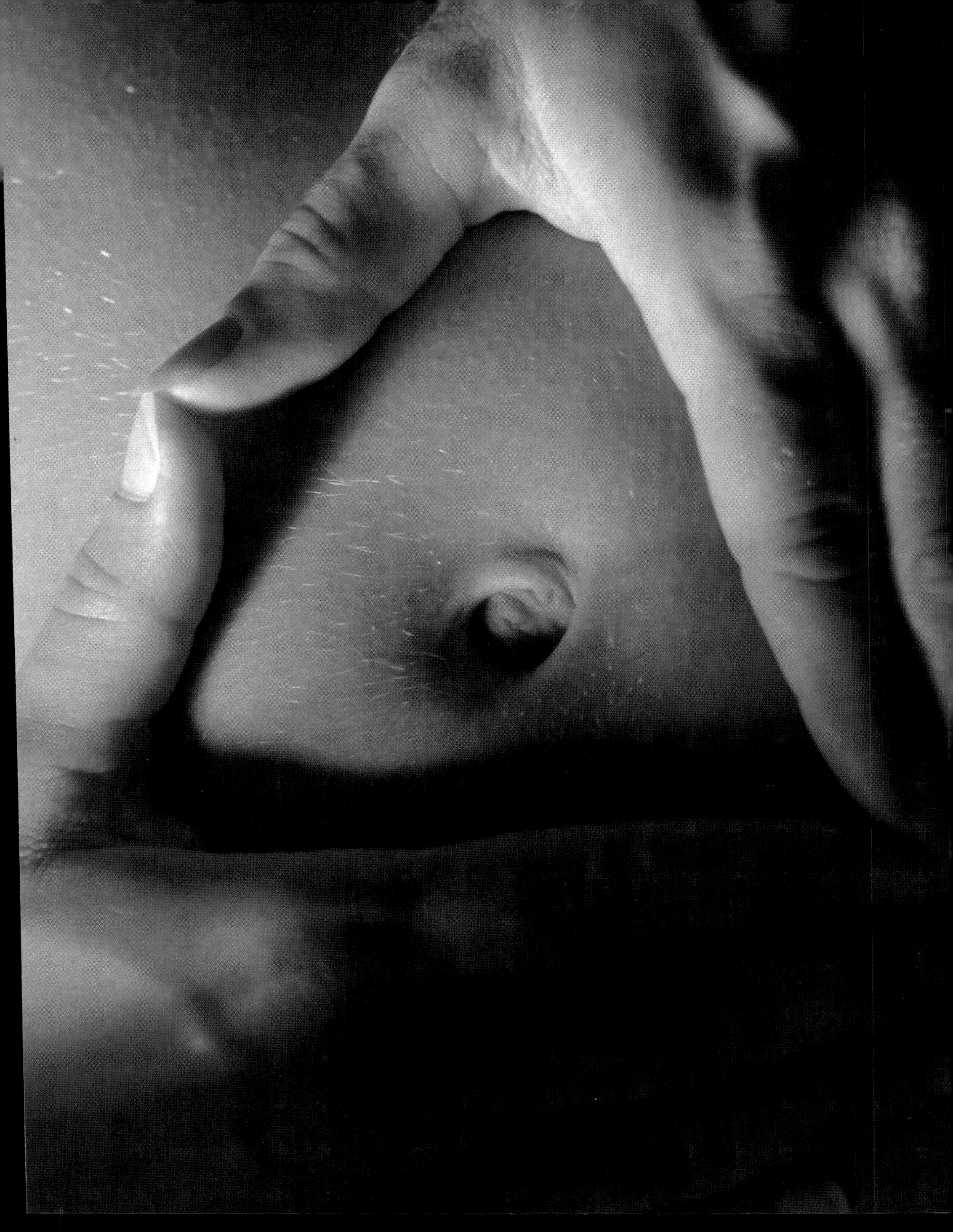

LA CONCENTRATION ET LA RELAXATION

Étant donné qu'elle constitue une «façon consciente de bouger», la méthode Pilates exige une concentration différente que les autres formes d'exercices. En effet, s'il n'est pas absolument nécessaire de se concentrer en faisant des sauts dans un cours de danse aérobique ou du jogging sur un tapis roulant, dans une séance de Pilates, c'est essentiel. La concentration constitue parfois l'aspect le plus ardu d'une séance de Pilates, en particulier lorsque notre esprit est accaparé par une multitude de choses.

Lorsque vous exercez votre corps sans avoir mobilisé votre esprit au préalable, vous n'accomplissez que la moitié du travail. Souvent, les gens entreprennent un nouveau programme de mise en forme avec les meilleures intentions du monde, mais en viennent rapidement à s'ennuyer et à manquer de stimulation mentale. En utilisant des images mentales afin de mobiliser votre esprit, vous pouvez solliciter vos muscles au moyen de votre subconscient et tirer meilleur parti des mouvements de votre corps. Par exemple, si je vous demandais d'allonger la colonne vertébrale en imaginant que votre corps grandit, et qu'une ficelle invisible tire doucement votre tête vers le plafond, non seulement vous utiliserez votre esprit pour imaginer cette sensation, mais vous ferez appel à des muscles dont vous ignoriez jusque-là l'existence.

Lorsque vous faites les exercices, concentrez-vous sur les sensations que votre corps éprouve pendant que vous bougez, respirez, vous étirez et vous détendez. Votre esprit est un puissant outil qui peut vous aider à acquérir une plus grande maîtrise corporelle, un meilleur équilibre et une force accrue.

En apprenant à vous détendre et à mettre votre corps en phase avec votre esprit, vous améliorerez non seulement votre concentration, mais aussi votre capacité de relaxation et la qualité de votre sommeil.

Pendant leur grossesse, bien des femmes ont de la difficulté à se concentrer, en plus d'éprouver des problèmes de mémoire. Les exercices suivants devraient améliorer votre capacité de concentration. Ne vous en faites pas si vous oubliez une étape. Le présent livre constituera pour vous un infaillible outil de référence que vous pourrez consulter en tout temps.

EXERCICE 1

Assurez-vous que l'endroit que vous prévoyez utiliser pour votre séance d'exercices est exempt de toute distraction. Débranchez le téléphone et placez une affiche «Ne pas déranger» sur la porte de votre salle d'exercices (pendant seulement dix minutes!). Faites jouer de la musique propice à la détente, mais sans paroles. Sinon, vous serez

tentée d'écouter les paroles au lieu de vous concentrer sur vos mouvements.

Allongez-vous dans une position confortable (voir photo). Utilisez autant de coussins et d'appuis que vous jugerez nécessaire. Fermez les yeux et commencez à penser à votre respiration, en prenant conscience de ce que votre corps ressent et de la façon dont il bouge à mesure que vous respirez. Essayez de ralentir votre rythme respiratoire, en rendant chaque respiration plus longue et plus profonde. N'oubliez pas d'inspirer par le nez et d'expirer par la bouche.

Lorsque vous inspirez, sentez ce nouvel apport d'air frais emplir votre corps d'énergie et de vitalité. Lorsque vous expirez, imaginez que vous expulsez de l'air vicié et des toxines des profondeurs de vos poumons et de votre corps. À mesure que vous respirez, sentez l'air s'enfoncer de plus en plus profondément dans votre corps, en commençant par les abdominaux, et sentez votre souffle alimenter votre bébé. Poussez la respiration encore plus loin vers les jambes, de sorte que quand vous expirez, vous sentiez l'air remonter le long des jambes, traverser l'abdomen, la poitrine et le cou, puis sortir par la bouche.

EXERCICE 2

Toujours allongée dans la même position, imaginez que vous vous trouvez sur une superbe plage ensoleillée et que vous sentez le sable chaud sous votre corps (blottissez-vous dans une couverture si vous le désirez).

Essayez d'entendre le bruit des vagues qui clapotent doucement contre les rochers et le rivage. Sentez la chaleur du soleil vous réchauffer le corps, et vos pieds s'alourdir légèrement et creuser leur empreinte dans le sable. Sentez le poids de vos pieds dans le sable, et laissez cette sensation remonter le long de vos jambes, tout en vous concentrant sur votre respiration. Sentez vos hanches et le poids de votre bébé creuser leur empreinte dans le sol. Laissez cette sensation remonter jusqu'à votre tête, en progressant doucement jusqu'à ce que la totalité de votre corps ait laissé une empreinte dans le sable. Imaginez que si vous bougiez, votre corps laisserait sa marque au sol. Continuez à respirer, et prenez conscience des sensations qu'éprouve votre corps et des changements qui prennent place à mesure que vous respirez et que votre corps creuse son empreinte dans le sable.

La relaxation est un aspect important de tout programme d'exercices. En apprenant à vous détendre, vous acquerrez une sensation accrue de maîtrise corporelle. Et si vous êtes capable de détendre à la fois le corps et l'esprit, vous serez mieux en mesure de faire face au stress et aux tensions de la vie quotidienne. La relaxation peut également constituer un précieux outil au moment de l'accouchement, en vous aidant à demeurer calme et en pleine maîtrise de vous-même pendant tout le processus.

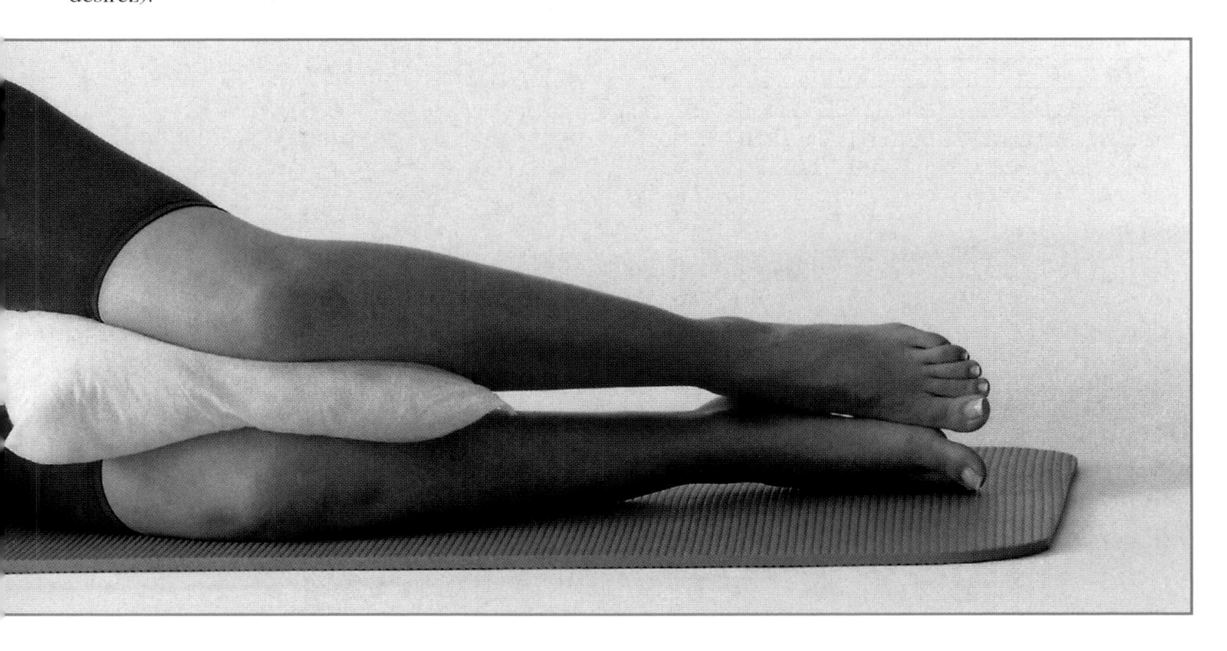

COMMENT DÉTERMINER LE NIVEAU QUI VOUS CONVIENT

Il importe que vous optiez pour des exercices qui correspondent à votre niveau. Ce niveau changera à mesure que progressera votre grossesse, et il pourra aussi fluctuer d'un jour à l'autre en fonction de votre énergie et des exigences quotidiennes auxquelles vous aurez à faire face. Souvenez-vous que la qualité est plus importante que la quantité. Si vous misez sur la qualité, votre corps et votre esprit tireront un bien meilleur parti du temps et des efforts que vous consacrerez à votre programme de Pilates.

Vous pouvez entreprendre le programme de Pilates à n'importe quel stade de votre grossesse. Toutefois, il importe de comprendre que quel que soit le trimestre où vous en êtes, si vous n'avez jamais fait de Pilates auparavant, vous devrez commencer par les premiers niveaux. Si vous êtes novice et que vous entreprenez le programme au premier trimestre de la grossesse, il se peut que vous puissiez tenter certaines variantes lors du deuxième et du troisième trimestre. Souvenez-vous, toutefois, qu'à cette étape de votre vie, il ne s'agit pas de faire un entraînement intensif. Si vous n'avez jamais pratiqué la méthode Pilates et que vous en êtes à votre troisième trimestre, il vaut mieux demeurer aux niveaux de base jusqu'à l'accouchement.

Pendant la grossesse, le but d'un programme d'exercices n'est pas d'améliorer la forme physique, le tonus musculaire et la force de façon draconienne. Il s'agit davantage de préparer votre corps à la naissance, de maintenir votre force à un niveau adéquat et d'améliorer votre conscience corporelle ainsi que votre posture. Les exercices peuvent rendre l'accouchement plus facile et contribuer à accélérer la récupération après la naissance de l'enfant. Mais des exercices trop intenses risquent d'avoir des effets néfastes sur votre corps et d'engendrer des problèmes à long terme.

Si vous ne faisiez aucun exercice avant de tomber enceinte ou que vous n'avez jamais pratiqué la méthode Pilates, vous devriez opter pour les exercices du niveau 1. Si vous vous adonniez déjà au Pilates avant votre grossesse et que vous connaissez raisonnablement bien les mouvements, vous pouvez vous rendre jusqu'aux niveaux 2 et 3.

Au cours de votre grossesse, il vous arrivera parfois de revenir à un niveau inférieur si cela vous semble plus confortable. Si vous êtes obligée d'interrompre le programme pendant votre grossesse en raison d'une maladie, il ne faut surtout pas vous sentir coupable. Il ne s'agit pas d'une compétition, et il faut à tout prix éviter d'exercer un stress indu sur votre corps. Dès que vous êtes en état de reprendre le programme, repartez du premier niveau. Lorsque vous avez un doute, revenez toujours au niveau 1.

Nous avons choisi trois femmes différentes pour représenter chacun des trois trimestres de la grossesse. Observez ces trois femmes pour déterminer le niveau qui vous convient. Essayez les différents niveaux, et apprenez à sentir quels sont les exercices qui sont pour vous les plus confortables à exécuter et les plus accessibles.

Pour chaque trimestre, nous vous fournissons quelques lignes directrices, mais souvenez-vous que chaque grossesse est différente.

COMMENT UTILISER LES TABLEAUX

Répondez aux questions figurant aux pages 46 et 47. Vous obtiendrez ainsi une compréhension plus claire des niveaux qui sont compatibles avec vos capacités. Si vous n'avez jamais fait d'exercices auparavant ou si vous n'êtes pas familiarisée avec la méthode Pilates, commencez avec le premier tableau, qui correspond au niveau 1. Suivez la femme qui représente l'étape où vous en êtes dans votre grossesse.

Les chiffres correspondent aux photographies illustrant chacun des mouvements. Il se peut donc que vous ayez à feuilleter le livre dans tous les sens afin de vous familiariser avec les différents niveaux. Vous pouvez aussi recopier ou photocopier les tableaux pertinents.

Lorsque vous exécutez les exercices correspondant à votre trimestre, si vous constatez que vous n'éprouvez aucun malaise ou même que vous les réalisez avec aisance, essayez de passer au niveau suivant tout en suivant la femme qui représente votre trimestre. Souvenez-vous qu'à différents moments de la grossesse, il se peut que vous éprouviez le besoin de changer de niveau. Par exemple, au premier trimestre, vous pourriez suivre le niveau 1, et au deuxième trimestre, suivre Katie, qui représente le niveau 2. Enfin, au troisième trimestre, vous pourriez revenir au premier niveau et suivre Esther.

1- Le modèle 1 en est aux derniers stades du premier trimestre de sa grossesse. En raison du léger risque de fausse couche qui existe pendant ce trimestre, elle fera les exercices du niveau 1.

2- Le modèle 2 est arrivé au deuxième trimestre de sa grossesse. Même si, à ce stade, elle peut s'entraîner avec un peu plus d'intensité, elle alterne entre le niveau 1 et le niveau 2, selon sa forme physique et la difficulté des exercices. Elle est également consciente que la relaxine agit sur ses articulations et qu'elle peut parfois se sentir étourdie quand elle s'allonge sur le dos. Il est donc possible qu'elle se sente inconfortable dans cette position (voir pages 16 à 19 pour les mesures de sécurité). Souvenez-vous que si vous avez des étourdissements lorsque vous êtes étendue sur le dos, vous n'avez qu'à rouler sur le côté.

3- Le modèle 3 est arrivé au milieu du troisième trimestre. Étant donné qu'elle commence à se sentir quelque peu fatiguée et qu'elle a parfois des essoufflements, elle exécute principalement les exercices du niveau 1. Elle est également consciente des effets de la relaxine sur ses articulations et des malaises potentiels liés à la position allongée sur le dos (voir pages 16 à 19).

QUEL EST LE NIVEAU QUI VOUS CONVIENT ?

QUESTION	TRIMESTRES	SI VOUS AVEZ RÉPONDU OUI	SI VOUS AVEZ RÉPONDU NON
1. Faisiez-vous de l'exercice avant d'apprendre que vous étiez enceinte?	1er	Passez à la question 2	Passez à la question 4
	2e	Passez à la question 2	Passez à la question 4
	3e	Passez à la question 2	Faites les exercices du niveau 1 seul.
2. Avez-vous continué à faire de l'exercice après avoir appris que vous étiez enceinte?	1er	Passez à la question 3	Passez à la question 3
	2e	Passez à la question 3	Passez à la question 3
	3e	Passez à la question 3	Passez à la question 3
3. Suiviez-vous un programme de Pilates avant de tomber enceinte?	1er	Passez à la question 4	Passez à la question 4
	2e	Passez à la question 4	Passez à la question 4
	3e	Passez à la question 4	Passez à la question 4
4. Avez-vous des problèmes d'ordre articulaire ou musculaire?	1er	Faites les exercices du niveau 1 seul.	Passez à la question 5
	2e	Faites les exercices du niveau 1 seul.	Passez à la question 5
	3e	Faites les exercices du niveau 1 seul.	Passez à la question 5
5. Avez-vous des problèmes de santé qui pourraient entraîner des restrictions relativement aux exercices que vous pouvez exécuter?	1er	Faites les exercices du niveau 1 seul.	Passez au point A
	2e	Faites les exercices du niveau 1 seul.	Passez au point A
	3e	Faites les exercices du niveau 1 seul.	Passez au point B

Point A – Si vous avez répondu par l'affirmative aux questions 1, 2 et 3, et par la négative aux questions 4 et 5, commencez par les niveaux 2 et 3. Vous pouvez revenir au niveau 1 n'importe quand, si vous en éprouvez le besoin.

Point B – Si vous avez répondu par l'affirmative aux questions 1, 2 et 3, et par la négative aux questions 4 et 5, faites les exercices des niveaux 1 et 2.

NIVEAU 1

MOUVEMENT	1ER TRIMESTRE	2E TRIMESTRE	3E TRIMESTRE
Pompes	1, 2, 3, 4, 5	Idem	À ne pas faire
Nage	1, 2, 3 ou 1, 4	Idem	Idem
Planche	1, 2	Idem	À ne pas faire
Enroulement vers l'avant	1, 2, 3	Idem	Idem
Centaine	1, 2, 3, 4	Idem	À ne pas faire
Cercles de la jambe	1, 2, 3, 4	Idem	1, 4
Étirement de la jambe	1, 2, 3	Idem	Idem
Pont sur les épaules	1, 2, 3	Idem	À ne pas faire
Ciseaux	1, 2, 3, 4	Idem	1, 2, 3, 4 ou variantes
Élévation latérale des jambes	1, 2	Idem	Idem
Étirement de la colonne vertébrale	Variantes de 1, 2, 3	Idem	Idem
Torsion de la colonne vertébrale	1, 2, 3, 4	1, 2, 3, 4 ou variante de 1	À ne pas faire
Double étirement des bras	1, 2, 3, 4, 5	Idem	8, 9, 10, 11

NIVEAU 2

MOUVEMENT	1ER TRIMESTRE	2E TRIMESTRE	3E TRIMESTRE
Pompes	1, 2, 3, 4, 5	Idem	À ne pas faire
Nage	1, 2, 3 ou 1, 4	Idem	Idem
Planche	1, 2	1, 2	À ne pas faire
Enroulement vers l'avant	1, 2, 3	Idem	Idem
Centaine	1, 2, 3, 4	Idem	À ne pas faire
Cercles de la jambe	1, 2, 3, 4	Idem	Idem
Étirement de la jambe	1, 2, 3	Idem	Idem
Pont sur les épaules	1, 2, 3	Idem	À ne pas faire
Ciseaux	1, 2, 3, 4	Idem	1, 2, 3, 4 ou variantes
Élévation latérale des jambes	1, 2	Idem	Idem
Étirement de la colonne vertébrale	Variantes de 1, 2, 3	Idem	Idem
Torsion de la colonne vertébrale	1, 2, 3, 4	1, 2, 3, 4 ou variante de 1	1, 2, 3, 4 ou variante de 1
Double étirement des bras	1, 2, 3, 4, 5	1, 2, 3, 4, 5	8, 9, 10, 11

NIVEAU 3

MOUVEMENT	1ER TRIMESTRE	2E TRIMESTRE	3E TRIMESTRE
Pompes	1, 2, 3, 4, 5	Idem	1, 2, 3, 4 ou variantes
Nage	1, 2, 3, 4	Idem	1, 2, 3 ou 1, 4
Planche	1, 2	Idem	Idem
Enroulement vers l'avant	1, 2	Idem	1, 2, 3
Centaine	1, 2, 3, 4	Idem	Idem
Cercles de la jambe	1, 2, 3, 4 ou variantes	Idem	À ne pas faire
Étirement de la jambe	1, 2, 3, 4 ou variantes	Idem	1, 2, 3
Pont sur les épaules	1, 2, 3	Idem	Idem
Ciseaux	1, 2, 3, 4	Idem	1, 2, 3, 4 ou variantes
Élévation latérale des jambes	1, 2, 3 ou 4	1, 2, 3	1, 2
Étirement de la colonne vertébrale	1, 2 ou variante de 1	Idem	Variantes de 1, 2, 3
Torsion de la colonne vertébrale	1, 2, 3, 4	Idem	1, 2, 3, 4 ou variantes de 1, 2
Double étirement des bras	1, 2, 3, 4, 5, 6, 7	Idem	8, 9, 10 11

CHAPITRE DEUX

LES MOUVEMENTS

L'ÉCHAUFFEMENT

LE but de l'échauffement est la préparation du corps et de l'esprit. Les mouvements qui suivent peuvent-être exécutés à tout moment de la journée afin d'étirer et de détendre les muscles du dos, du cou et des épaules, de même que pour placer le dos en position neutre. Commencez lentement. L'objectif des exercices est d'augmenter la circulation sanguine dans les muscles et de mobiliser les articulations. Essayez de faire travailler vos articulations en demeurant à l'intérieur d'une zone où vous n'éprouvez aucune douleur, et en ne donnant au mouvement que l'amplitude avec laquelle vous vous sentez à l'aise.

1

Étirement de la poitrine

A. Tenez-vous debout, bien droite, les pieds écartés d'environ la largeur des hanches, les genoux relâchés et les bras allongés devant vous, les paumes retournées vers le haut. Inspirez.

B. En expirant, étirez les bras vers le haut puis déployez-les de chaque côté. Gardez la colonne vertébrale bien allongée en imaginant qu'une ficelle invisible tire votre tête vers le plafond. Lorsque vous ouvrez les bras, assurez-vous de rentrer les abdominaux inférieurs et de ne pas cambrer le dos. Exécutez l'ensemble du mouvement lentement et à une vitesse constante.

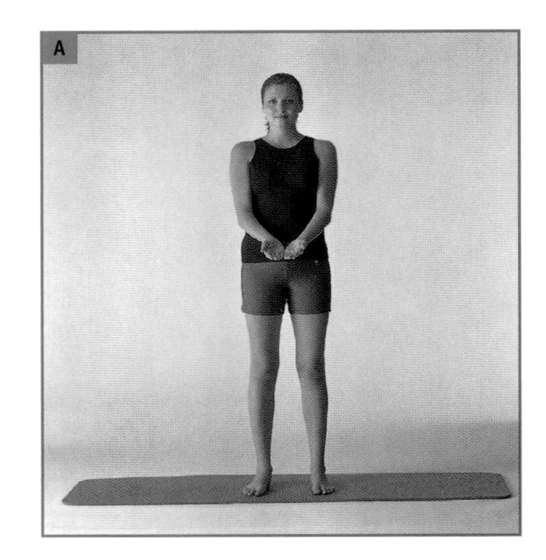

A

REMARQUES

Ce mouvement sert à ouvrir la poitrine et à étirer les muscles de cette région. Essayez de pousser le mouvement un peu plus loin chaque fois, tout en prenant soin de ne pas cambrer le dos. Demeurez toujours en position neutre. Assurez-vous que vos épaules sont en tout temps détendues, éloignées des oreilles.

OBJECTIF ▸ Mobilité
VISUALISATION ▸ «Il était long comme ça»
RÉPÉTITIONS ▸ 5-10

B

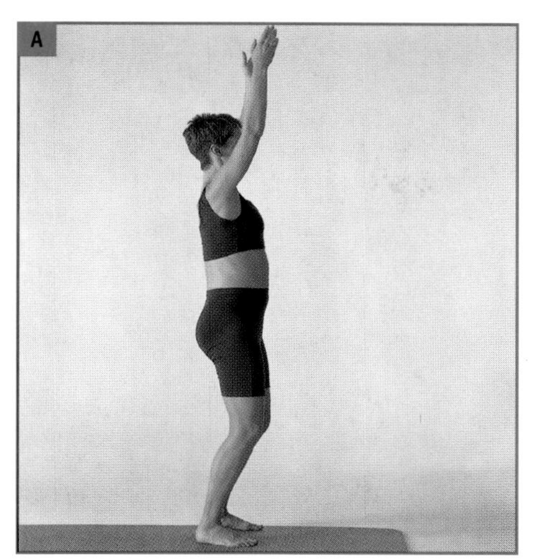

2

Balancement

A. Les pieds écartés d'environ la largeur des hanches et les genoux relâchés, étirez les bras vers le plafond, en vous assurant de ne pas dépasser la tête.
B. En inspirant, laissez tomber les bras vers l'avant. En même temps, laissez les genoux se fléchir et le dos se courber. Gardez la tête et les épaules détendues, et portez attention à votre colonne alors qu'elle se relâche doucement en s'enroulant vers le bas.
C. Au moment où vous atteignez le point d'enroulement maximal, expirez, rentrez les abdominaux inférieurs et déroulez lentement le corps jusqu'à ce qu'il soit revenu en position debout. Chaque fois que vous répétez le mouvement, essayez de vous étirer encore un peu plus vers le plafond. Imaginez qu'une ficelle est attachée au sommet de votre crâne et qu'elle tire tout votre corps vers le haut.

REMARQUES
Ce mouvement ne convient que pour les premier et deuxième trimestres, et peut même devenir difficile à exécuter avant cette étape, selon la grosseur du bébé. Pour bien soutenir la colonne vertébrale, rentrez les abdominaux inférieurs lorsque vous expirez. Le mouvement devrait être fluide et continu, sans arrêts ni départs.

OBJECTIF ► Mobilité
VISUALISATION ► Saluer bien bas
RÉPÉTITIONS ► 5-10

3

Cercles d'un seul bras

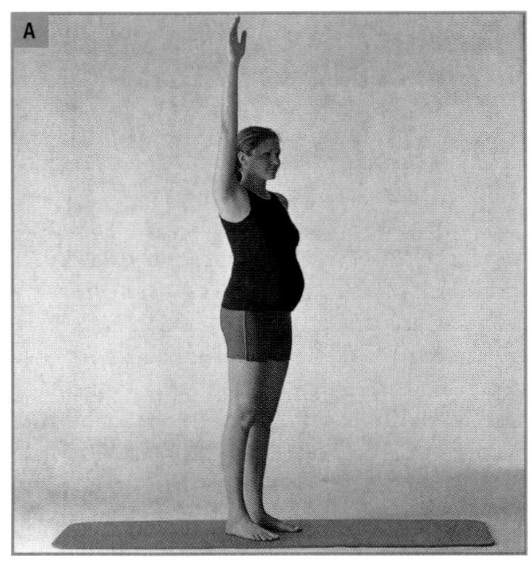

A

A. En position debout, gardez la tête bien droite, les pieds écartés et les genoux relâchés. Allongez le corps en tirant le sommet de la tête vers le plafond pour mieux vérifier si votre dos est bien aligné. En gardant le bras gauche le long du corps, légèrement appuyé sur la jambe, inspirez et soulevez le bras droit vers l'avant, puis étirez-le vers le plafond.

B. Tout en gardant les épaules rabaissées et bien alignées, continuez à décrire un cercle avec le bras. Gardez la cage thoracique immobile. Lorsque le bras arrive à la hauteur de l'oreille, commencez à expirer. Si votre cage thoracique a tendance à bouger, cela veut dire que vous allez trop loin avec le bras – il vous faudra donc réduire quelque peu la circonférence de votre cercle.

C. Terminez le cercle. Commencez à expirer lorsque votre bras arrive à la hauteur de l'oreille, et à inspirer lorsqu'il croise la jambe.

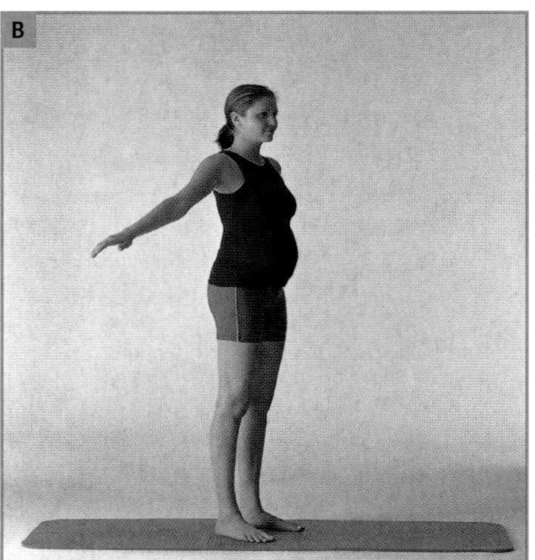

B

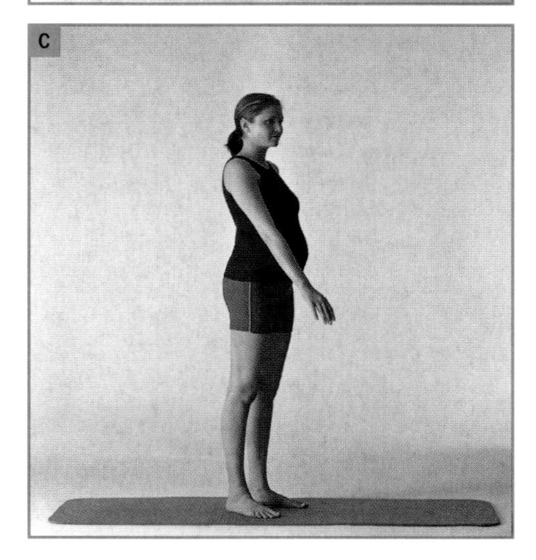

C

REMARQUES

Ce mouvement vise à faire travailler les épaules. Vous devez vous concentrer afin de garder les épaules dans le même axe, sans faire de rotation vers l'arrière quand vous exécutez les cercles. Placez-vous devant un miroir afin de surveiller votre posture. Assurez-vous de ne pas laisser votre corps s'affaisser vers l'arrière. Pensez à allonger la partie inférieure de la colonne et à maintenir la cage thoracique dans l'axe du bassin. Gardez la tête droite, en imaginant qu'un livre est posé en équilibre sur votre crâne. Ce mouvement peut être effectué vers l'avant ou vers l'arrière. À l'expiration, n'oubliez pas de rentrer les muscles du bas de l'abdomen.

OBJECTIF ▸ Mobilité
VISUALISATION ▸ Tracer des cercles
RÉPÉTITIONS ▸ 5 de chaque côté

4

Cercles des deux bras

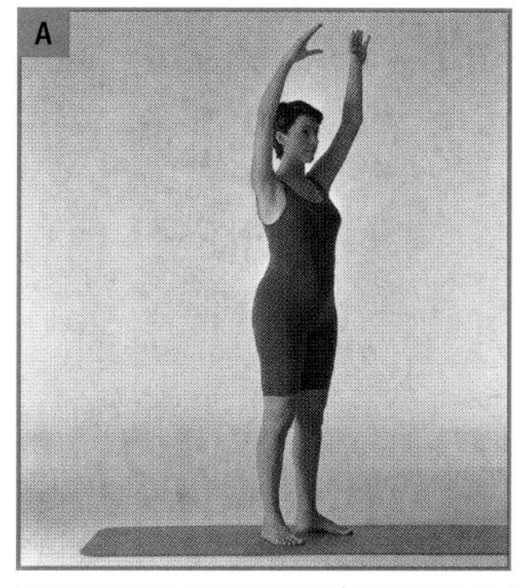

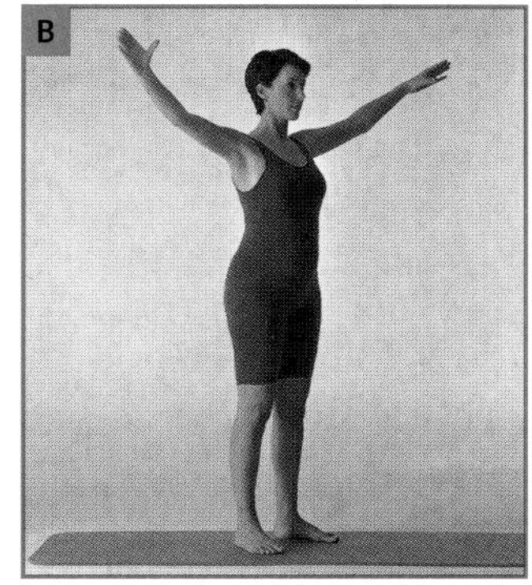

A. En position debout, gardez la tête bien droite, les pieds écartés et les genoux relâchés. Allongez le corps en tirant le sommet de la tête vers le plafond pour mieux vérifier si votre dos est bien aligné. En inspirant, soulevez les deux bras vers l'avant, puis étirez-les vers le plafond.
B. Tout en gardant les épaules rabaissées et bien alignées, continuez à décrire un cercle avec les bras. Gardez la cage thoracique immobile. Lorsque les bras arrivent à la hauteur des oreilles, commencez à expirer. Si votre cage thoracique a tendance à bouger, cela veut dire que vous allez trop loin avec les bras – il vous faudra donc réduire quelque peu la circonférence de vos cercles.
C. Terminez le cercle. Commencez à expirer lorsque vos bras arrivent à la hauteur des oreilles, et à inspirer lorsqu'ils croisent les jambes.

REMARQUES
Ce mouvement est une version avancée des cercles d'un seul bras expliqués à la page 54.

ATTENTION !
Si un côté de votre corps vous semble un peu plus raide et que les cercles effectués avec ce bras sont plus petits que les autres, réduisez la circonférence des cercles plus grands pour qu'elle corresponde à celle des plus petits. Vous établirez un équilibre entre les deux bras. Commencez par exécuter de petits cercles, augmentez la circonférence dès que vous sentez que les mouvements sont réalisés avec la même aisance des deux côtés.

OBJECTIF ▶ Mobilité
VISUALISATION ▶ Tracer des cercles
RÉPÉTITIONS ▶ 5 dans chaque direction

C

5

Chat/chien

A. À quatre pattes sur le sol, assurez-vous que vos mains sont placées directement sous les épaules et vos genoux directement sous les hanches, dans l'alignement de celles-ci, et gardez les pieds relâchés. Abaissez les épaules en les éloignant des oreilles, et allongez la colonne de la tête au coccyx, en gardant les yeux baissés. En inspirant, faites basculer doucement le bassin vers l'avant, en redressant légèrement la tête de façon à regarder droit devant vous.
B. En expirant, faites lentement basculer le bassin vers l'arrière. Imaginez que vous avez une longue queue rattachée au coccyx et qu'en abaissant celui-ci vers le sol, vous faites pendre cette queue encore plus bas entre vos jambes. Ramenez légèrement le menton vers la poitrine. Attirez doucement votre bébé vers le haut, en direction de la colonne.

REMARQUES
Cet exercice devrait être exécuté lentement et de façon continue. Essayez de ne pas trop forcer lorsque vous arrivez à chacune des extrémités du mouvement. Si vous sentez une raideur ou un pincement dans le bas du dos, il se peut que vous ayez fait basculer le bassin trop loin vers l'avant dans la première partie du mouvement. Commencez par de petits mouvements, dont vous augmenterez graduellement l'amplitude. Ne forcez jamais le mouvement, et gardez toujours les abdominaux inférieurs rentrés. Essayez de garder le cou et les épaules détendus, et les coudes légèrement fléchis.

OBJECTIF ▸ Mobilité de la colonne vertébrale
VISUALISATION ▸ S'étirer comme un chat
RÉPÉTITIONS ▸ 5-10

6

Petit soldat

A. En position debout, bien droite, gardez les pieds écartés de la largeur des hanches et les genoux relâchés. En inspirant, étirez le bras droit vers le plafond et le gauche vers le sol. La paume de la main droite devrait faire face au mur se trouvant devant vous et celle de la main gauche au mur de derrière.
B. En expirant, abaissez le bras droit tout en soulevant le gauche, en inversant les positions. Essayez de déplacer les deux bras à la même vitesse, sans bouger le torse.
C. Une fois le bras gauche pointé vers le plafond et le droit pointé vers le sol (ils devraient arriver en même temps à leurs positions respectives), inspirez, puis expirez tout en amorçant un nouveau changement de position des deux bras.

REMARQUES
Pendant tout l'exercice, maintenez un alignement neutre et gardez les épaules abaissées, éloignées des oreilles. Il se peut que vous deviez vous placer devant un miroir afin de vérifier votre posture. Assurez-vous de bien allonger la colonne, en particulier dans sa partie inférieure. Assurez-vous aussi de maintenir la cage thoracique juste au-dessus du bassin. Vous devez regarder droit devant vous, en imaginant qu'un livre est placé en équilibre sur votre tête et qu'une petite ficelle tire celle-ci vers le plafond. Exécutez le mouvement de façon lente et maîtrisée.

OBJECTIF ▶ Mobilité
VISUALISATION ▶ Battements des bras
RÉPÉTITIONS ▶ 5-10 pour chaque bras

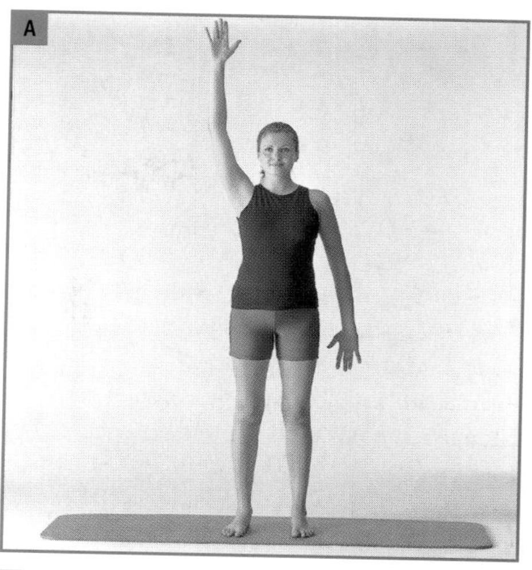

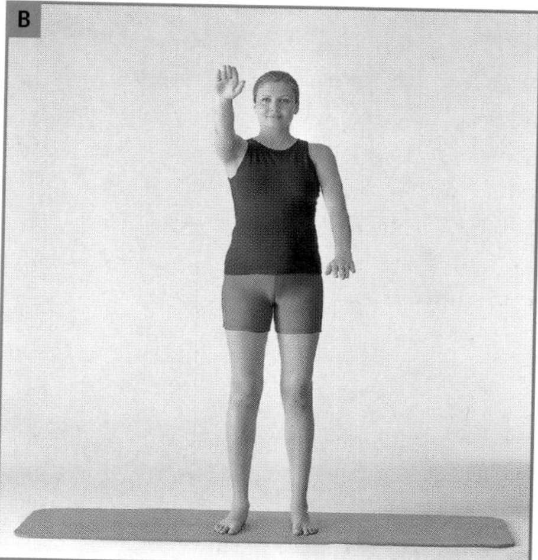

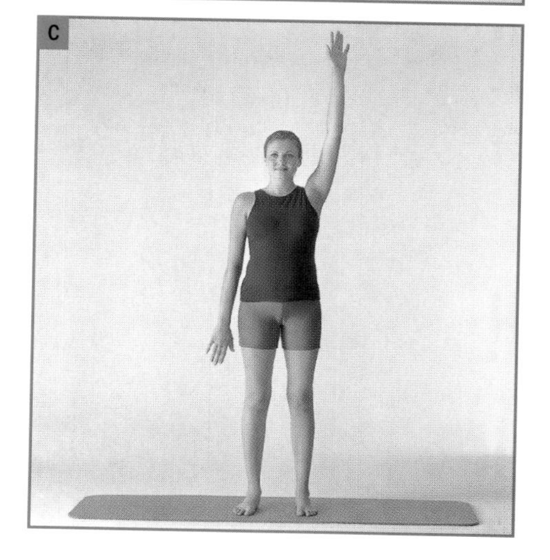

7

Rotation latérale

A. Commencez en écartant les pieds d'une distance légèrement supérieure à la largeur des hanches. Abaissez les épaules en les éloignant des oreilles. Laissez les bras pendre naturellement de chaque côté du corps, tout en gardant les épaules abaissées. Inspirez en guise de préparation.

B. Expirez en soulevant légèrement le talon droit et en faisant faire à votre corps une rotation vers la gauche. Laissez les bras suivre le mouvement et décrire un cercle autour de vous.

C. Inspirez puis retournez au centre, en reprenant la position neutre. Essayez de répartir également votre poids sur vos pieds.

D. En expirant, soulevez doucement le talon gauche en faisant faire à votre corps une rotation vers la droite et en laissant vos bras suivre le mouvement.

REMARQUES

Ce mouvement devrait être effectué de façon fluide et continue. Gardez les bras détendus et laissez-les suivre la rotation du corps, en essayant de faire en sorte que le bras qui se trouve en avant dépasse quelque peu l'axe central du corps. Essayez de ne pas pencher la tête vers l'avant, et allongez la colonne vers le plafond. Imaginez qu'une mince ficelle tire votre tête vers le haut.

OBJECTIF ▸ Mobilité
VISUALISATION ▸ Tracer un cercle autour de soi
RÉPÉTITIONS ▸ 5-10 de chaque côté

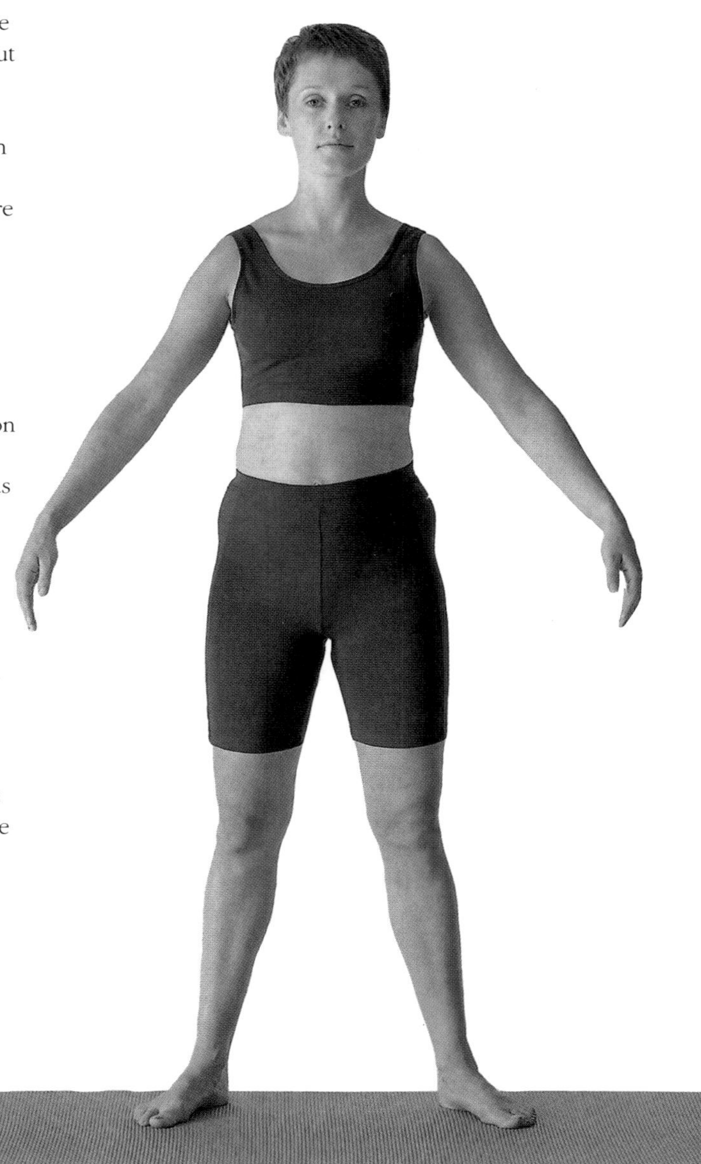

A

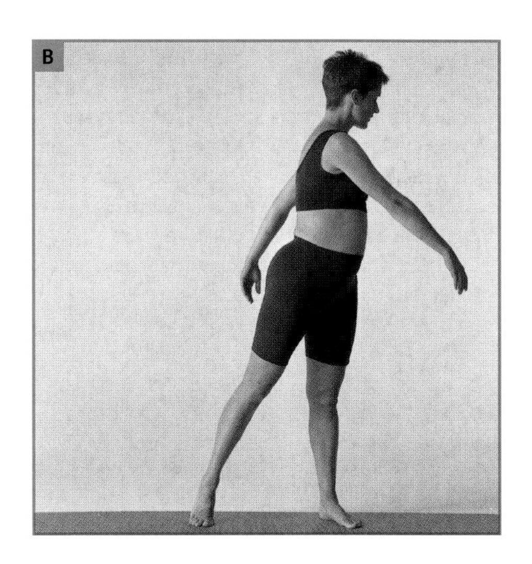

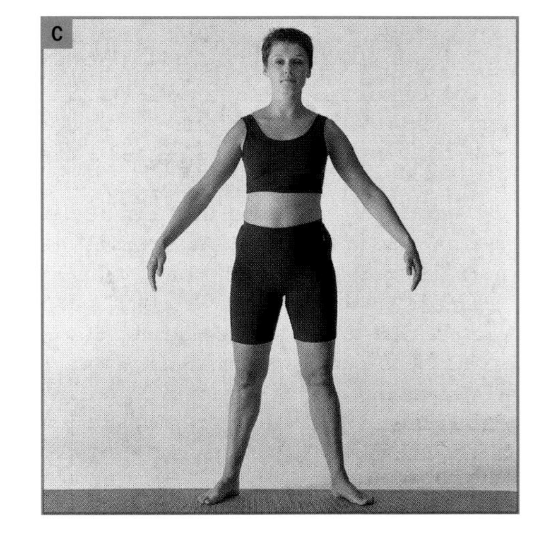

RÉSUMÉ DE L'ÉCHAUFFEMENT
L'échauffement est aussi le moment idéal pour se concentrer sur la position neutre. Il ne faut pas oublier de commencer chaque exercice avec cette position centrale et d'y revenir à la fin. Il se peut que vous deviez tout d'abord faire certains exercices pour apprendre à trouver cette position neutre (voir à ce sujet les pages 38 et 39). L'échauffement est aussi l'occasion de réfléchir à votre technique de respiration (voir page 40), et de permettre à l'esprit de commencer à travailler de concert avec le corps. Essayez d'exécuter tous les mouvements de façon fluide et continue. Répétez chaque exercice environ cinq fois, et davantage si vous sentez que votre corps en a besoin. Certains jours, il est possible que votre corps se sente raide ou fatigué. Si c'est le cas, faites les ajustements qui s'imposent en ce qui a trait au nombre de répétitions et à la durée des exercices, de même qu'au choix des mouvements.

D

LE PROGRAMME

LES mouvements suivants font partie de ceux qui ont été créés à l'origine par Joseph Pilates. Avant d'entreprendre le programme, assurez-vous d'avoir déterminé le niveau qui correspond au stade de votre grossesse ainsi qu'à votre connaissance de la méthode Pilates. Reportez-vous aux pages 44 à 47 afin de déterminer clairement le niveau qui vous convient. Souvenez-vous que vous pouvez entreprendre un programme de Pilates à n'importe quel moment de votre grossesse, même si vous n'avez jamais pratiqué cette technique auparavant.

1

Pompes

A. Tenez-vous debout en position neutre, les pieds écartés de la largeur des hanches et les genoux relâchés. Inspirez.
B. En expirant, rentrez les muscles du bas de l'abdomen, afin d'attirer votre bébé vers la colonne vertébrale. Commencez à enrouler lentement la colonne vers le bas, en dirigeant le mouvement avec la tête, le menton rentré vers la poitrine. Laissez les épaules glisser vers le bas avec le reste du corps et le poids des bras vous tirer vers le sol, aussi loin que vous le jugerez confortable.
C. Si vous êtes incapable de toucher le plancher sans éprouver une tension dans le dos, descendez le plus loin possible, puis fléchissez les genoux et appuyez les mains sur les genoux. En expirant, attirez doucement le bébé vers votre colonne et penchez-vous lentement vers l'avant afin de placer les mains sur le sol.
D. Expirez, attirez le bébé vers la colonne, penchez-vous vers l'avant et placez les mains au sol. Faites avancer les mains vers l'avant tout en fléchissant les genoux en direction du sol. Faites en sorte que le mouvement soit lent, fluide et doux. Cessez d'avancer avec les mains lorsque vos genoux touchent presque le sol et que vos mains se trouvent à la hauteur des épaules. Inspirez.
E. En expirant, déposez doucement les genoux par terre, de manière que votre corps forme avec le sol un quadrilatère, une sorte de boîte. Croisez les chevilles en gardant les mains et les épaules alignées. Imaginez qu'une ligne tracée sur le sol passe entre vos deux mains. En inspirant, rapprochez doucement le nez de cette ligne en fléchissant les bras. Ne vous en faites pas si vous ne pouvez atteindre la ligne. En expirant, poussez doucement avec les bras jusqu'à ce qu'ils soient de nouveau tendus, en évitant de verrouiller les coudes.

REMARQUES
Cet exercice doit être effectué de façon continue. Essayez de le concevoir comme un seul et même mouvement, long et lent. À mesure que progressera votre grossesse, ce mouvement sera de plus en plus difficile à exécuter en raison de la croissance du bébé, pour devenir pratiquement impossible à réaliser au troisième trimestre. Prenez soin de ne pas laisser de tension s'insinuer dans votre dos et assurez-vous de placer toutes les articulations selon un alignement neutre (voir pages 38 et 39).

OBJECTIF ▸ Force
VISUALISATION ▸ S'enrouler sur soi-même et le bébé
RÉPÉTITIONS ▸ 5

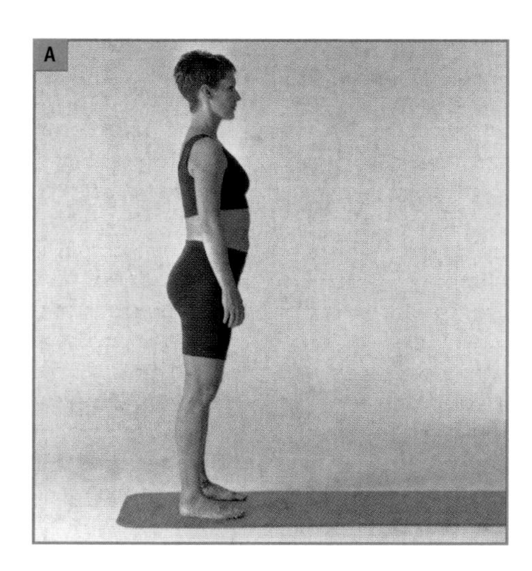

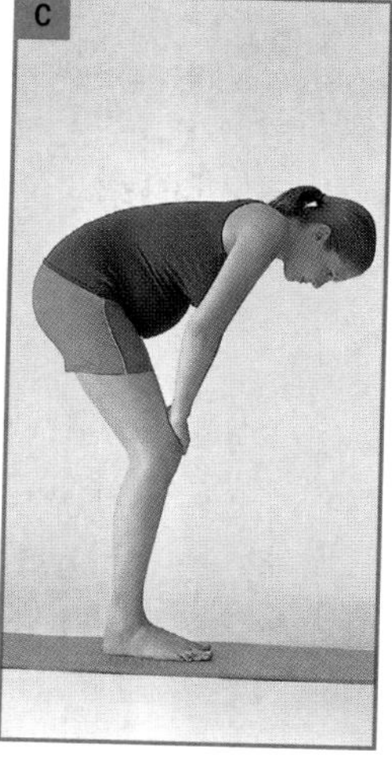

Variante des pompes

Si vous avez de la difficulté à exécuter ce mouvement, restez dans cette position et faites trois flexions des bras avant de passer au déroulement. Cette variante convient davantage à celles qui ont de la difficulté à concevoir et à exécuter l'exercice comme un seul et même mouvement.

Si vous avez de la difficulté à effectuer les pompes comme telles, commencez par les faire en position carrée. Assurez-vous, pour ce faire, que vos mains se trouvent directement en dessous des épaules et vos genoux directement sous les hanches, afin de créer une base plus solide. Effectuez les pompes tel qu'il est indiqué plus haut, sans toutefois croiser les chevilles ni transférer le poids vers l'avant.

ATTENTION !
Évitez de tendre les bras au point de verrouiller les articulations des coudes, et de voûter les épaules. Aucune pression ne devrait s'exercer dans le bas du dos.

2

Nage

A. Installez-vous à quatre pattes. Assurez-vous que vos mains sont placées directement sous les épaules et vos genoux directement sous les hanches. Les genoux et les pieds doivent être parallèles, écartés de la largeur des hanches. Trouvez la position neutre, tirez les épaules en direction opposée des oreilles et allongez la colonne, du sommet de la tête au coccyx. Laissez le bas du dos adopter une courbure naturelle, puis basculez doucement le bassin d'avant en arrière jusqu'à ce que vous le sentiez en position neutre, sans que la courbure du bas du dos ne soit exagérément prononcée ou ne soit source de tension ou d'inconfort. Allongez le cou et gardez les yeux au sol, en prenant soin de ne pas soulever la tête lorsque vous entreprendrez le mouvement. Commencez par trouver votre rythme respiratoire, puis respirez dans le dos et les côtés (voir page 40). À l'expiration, attirez le poids du bébé vers vous, en utilisant les muscles inférieurs de l'abdomen pour tenir le bébé près de vous.

B. Expirez en allongeant le bras droit dans le prolongement du corps. Ne laissez pas le bras dépasser la hauteur des oreilles et gardez les épaules alignées. À l'inspiration, abaissez doucement le bras vers le sol et replacez la main sous l'épaule. Essayez de bouger les épaules le moins possible quand vous soulevez et abaissez chaque bras.

C. Expirez en allongeant doucement le bras gauche vers l'avant. En même temps, attirez le bébé vers vous. Inspirez et reposez la main sur le sol. Prenez soin de ne pas transférer votre poids d'un côté à l'autre quand vous changez de bras. Continuez de soulever les bras en alternance jusqu'à ce que vous ayez fait cinq répétitions de chaque côté. Le défi consiste à faire en sorte que, lorsque vous passez d'un bras à l'autre, le reste du corps bouge le moins possible. Imaginez qu'un verre d'eau bien rempli repose sur chacune de vos épaules et que vous voulez à tout prix éviter de faire bouger ces verres et d'en renverser le contenu.

D. Cette fois, les bras restent au sol, et ce sont les jambes qui exécutent le mouvement. Expirez en allongeant la jambe droite derrière vous. Pour commencer, gardez le pied en contact avec le sol. Lorsque vous vous sentez plus confortable, soulevez quelque peu le pied du sol. À l'inspiration, ramenez la jambe à sa position de départ, sous la hanche, en déposant le genou au sol sans faire basculer les hanches. Expirez en allongeant doucement la jambe gauche derrière vous, et inspirez en la ramenant à sa position de départ. N'oubliez pas, lorsque vous expirez,

A

d'attirer le bébé tout contre vous. Imaginez maintenant que les deux verres d'eau remplis à ras bord se trouvent sur vos hanches. Quand vous passez d'une jambe à l'autre, essayez de réduire le mouvement des hanches au minimum. Évitez aussi qu'une jambe monte plus haut que l'autre.

REMARQUES

Gardez le mouvement fluide et continu, et essayez de maintenir la colonne, le bassin, les épaules et les hanches en position neutre. Il se peut que vous soyez incapable d'allonger pleinement les bras et les jambes sans vous écarter de cette position neutre. Si c'est votre cas, raccourcissez le mouvement et allongez les membres le plus possible sans déroger de la position neutre. Essayez de ne pas reporter votre poids sur les épaules – maintenez le poids au centre du mouvement.

OBJECTIF ▶ Force
VISUALISATION ▶ Des verres d'eau en équilibre sur le corps
RÉPÉTITIONS ▶ 5 pour chaque bras et 5 pour chaque jambe

D

3

Déroulement vers l'arrière/ enroulement vers l'avant

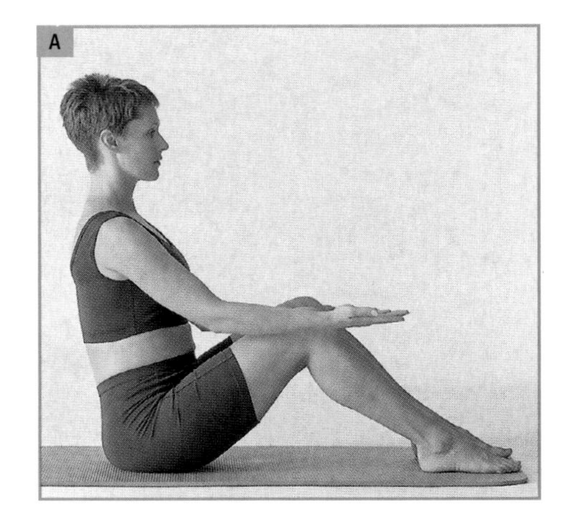

A. Commencez en position assise, les bras étendus devant vous. Tenez-vous bien droite, comme si une ficelle attachée au sommet de votre tête vous tirait vers le plafond. Abaissez et reculez les épaules, en direction opposée des oreilles. Gardez les genoux fléchis, écartés de la largeur des hanches et maintenez les pieds au sol dans l'alignement des genoux, à une distance confortable du corps. Vous devriez être capable de demeurer assise sans voûter les épaules. Imaginez que vous êtes installée sur une chaise à dossier droit.
B. À l'inspiration, basculez doucement vers l'arrière en rentrant le bassin à mesure que vous déroulez la colonne, tout en gardant les bras détendus et suspendus au-dessus des genoux, les paumes vers le haut. Descendez aussi loin que vous le pourrez, en autant que vous gardez la maîtrise du mouvement. C'est la souplesse de votre dos, la force de votre centre ainsi que la grosseur et la position de votre bébé qui seront ici les facteurs déterminants. Assurez-vous que vos abdominaux inférieurs sont légèrement rentrés vers l'intérieur et non bombés vers l'extérieur.
C. Expirez en revenant doucement à la position assise. En allongeant encore une fois le corps vers le plafond, inspirez et déroulez-vous lentement vers l'arrière sans vous arrêter. Le déroulement et l'enroulement devraient constituer ensemble un seul et même mouvement continu.

B

REMARQUES

Ce mouvement est une variante de l'enroulement vers l'avant (ou redressement enroulé): assurez-vous que les deux parties du mouvement sont exécutées à la même vitesse et avec la même maîtrise. Si vos pieds décollent du sol, c'est que le haut de votre corps est descendu trop bas vers l'arrière. Sentez l'allongement de la colonne lombaire lorsque vous vous basculez vers l'arrière. Essayez de bien rentrer le coccyx lorsque vous déroulez, comme si vous essayiez de laisser l'empreinte de votre derrière sur le matelas.

OBJECTIF ▸ Force
VISUALISATION ▸ Former une courbe en C dans le bas du dos
RÉPÉTITIONS ▸ 5-10

Variante du déroulement vers l'arrière/enroulement vers l'avant

Quand vous arriverez aux stades plus avancés de votre grossesse, il est possible que vous trouviez plus rassurant d'exécuter cet exercice assise devant un mur ou un canapé. De cette façon, s'il vous arrivait d'avoir de la difficulté à vous redresser, vous pourriez vous appuyer sur le mur ou le canapé au lieu d'être obligée de vous allonger sur le dos.

Vous pouvez modifier quelque peu ce mouvement en appuyant légèrement les mains à l'arrière des cuisses. Cet ajout pourra vous aider à revenir en position assise. Toutefois, vous devez vous assurer de ne pas trop tirer sur les cuisses. Si cela vous arrive, c'est que vous êtes allée trop loin vers l'arrière. Même si cette variante a pour effet de limiter l'amplitude du mouvement vers l'arrière, elle se révélera néanmoins fort utile, surtout lorsque votre ventre augmentera de volume et que le poids de votre centre s'accroîtra. Il importe davantage de conserver une bonne maîtrise du mouvement que de basculer loin vers l'arrière.

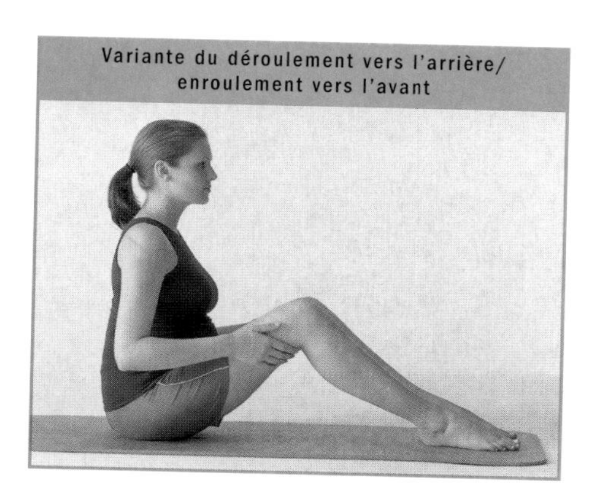
Variante du déroulement vers l'arrière/enroulement vers l'avant

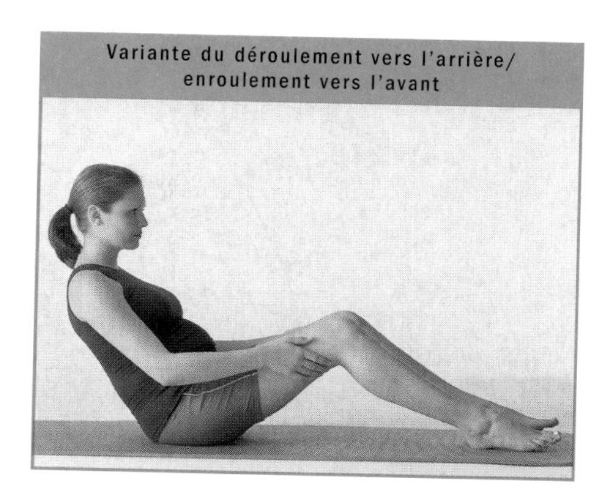
Variante du déroulement vers l'arrière/enroulement vers l'avant

Cercles de la jambe

A. Allongez-vous sur le dos, les genoux fléchis et les pieds posés à plat sur le sol. Assurez-vous que vos genoux et vos pieds sont parallèles, écartés de la largeur des hanches. Placez les pieds près de votre derrière, à une distance confortable. Trouvez la position neutre de la colonne et du bassin (voir pages 38 et 39), en prenant conscience du petit creux situé dans le bas du dos. Il importe de vous concentrer sur cet espace, en particulier lorsque vous exécuterez le mouvement. L'objectif consiste à garder cet espace constant pendant tout l'exercice, signe que vous aurez maintenu le bassin et la colonne en position neutre. Commencez par penser à votre respiration. Quand vous inspirez, essayez de faire en sorte que votre dos s'étale sur le matelas. Quand vous expirez, tirez le bébé vers l'intérieur et vers le bas, en direction de la colonne vertébrale. Il est possible que vous ayez de la difficulté à maintenir cette position. N'oubliez pas de tenir compte du temps et de ne pas rester allongée sur le dos pendant plus de cinq minutes. Si vous vous sentez étourdie ou prise de vertiges, roulez immédiatement sur le côté.
B. Si vous vous sentez prête à progresser, en même temps que la prochaine expiration, soulevez doucement la jambe droite et placez-la à angle droit du sol. Assurez-vous que le genou se trouve directement au-dessus de la hanche, et que le pied demeure dans l'alignement du genou. Placez la main sur le genou et commencez à tracer un petit cercle avec celui-ci, en utilisant la main pour guider le mouvement. Imaginez que vous tracez au plafond un cercle de la grosseur d'une pièce de dix cents. Inspirez lorsque le genou se dirige vers le centre du corps, et expirez lorsqu'il s'éloigne du corps.
C. En même temps que votre dernière expiration, reposez doucement la jambe au sol, en plaçant le pied exactement au même endroit où il se trouvait au départ. Roulez sur le côté et prenez un moment de repos.
D. Au bout de quelque temps, revenez sur le dos et placez-vous de nouveau en position neutre. En expirant, soulevez doucement la jambe gauche et placez-la à angle droit du sol, comme précédemment avec l'autre jambe. Placez la main gauche sur le genou gauche et commencez à tracer un petit cercle avec le genou. Répétez le même mouvement qu'à l'étape 2. En même temps que votre dernière expiration, reposez doucement la jambe au sol, en replaçant le pied dans sa position de départ. Roulez sur le côté et prenez un moment de repos.

REMARQUES

Cet exercice comporte deux grands défis: le premier consiste à s'assurer que la courbure du bas du dos reste la même quand vous

A

soulevez et abaissez la jambe ou faites des cercles avec la jambe ; le second consiste à réduire au minimum le mouvement des hanches lors du changement de jambe, et à essayer de maintenir une pression égale sous les deux hanches, indépendamment de la jambe qui est soulevée. Prenez soin de ne pas basculer le bassin quand vous changez de jambe ou faites des cercles avec la jambe. Vous pouvez poser les mains au sommet des os iliaques, sur chacune des hanches, pour vérifier s'il y a mouvement lors du changement de jambe.

OBJECTIF ▸ Mobilité
VISUALISATION ▸ Une pièce de dix cents
RÉPÉTITIONS ▸ 5 fois dans chaque direction, pour chaque jambe

Variante des cercles de la jambe

Une fois que vous aurez acquis un peu plus d'aisance avec l'exercice, essayez d'y apporter une modification en retirant la main qui sert de guide au mouvement du genou. N'oubliez pas de vous en tenir à de petits cercles et de réduire au minimum le mouvement des hanches. Essayez de sentir la jambe parcourir toute la circonférence de la cavité articulaire de la hanche, tout en prenant soin de ne pas laisser ladite jambe s'affaisser de tout son poids dans la cavité articulaire.

REMARQUES
N'oubliez pas de travailler à l'intérieur d'une zone où vous ne ressentez aucune douleur. Si vous éprouvez un sentiment d'inconfort à quelque moment que ce soit, commencez par essayer de ralentir la partie du mouvement qui suscite des raideurs et des malaises. Si la sensation d'inconfort persiste, interrompez tout simplement l'exercice.

ATTENTION !
Si vous vous sentez étourdie, n'hésitez pas à rouler sur le côté.

5

Centaine

A. Allongez-vous sur le dos, les genoux fléchis et les pieds posés à plat sur le sol. Assurez-vous que vos genoux et vos pieds sont parallèles, écartés de la largeur des hanches. Placez les pieds près de votre derrière, à une distance confortable. Trouvez la position neutre de la colonne et du bassin, en prenant conscience du petit espace situé dans le bas du dos. Il importe de vous concentrer sur cet espace, en particulier lorsque vous exécuterez le mouvement. L'objectif consiste à garder cet espace constant pendant tout l'exercice, signe que vous aurez maintenu le bassin et la colonne en position neutre. Commencez par penser à votre respiration. Il est possible que vous ayez de la difficulté à maintenir cette position. Si vous vous sentez étourdie ou prise de vertiges, roulez immédiatement sur le côté.

B. Si vous vous sentez prête à passer à l'étape suivante, lors de la prochaine expiration, soulevez doucement la jambe droite et placez-la à angle droit du sol. Assurez-vous que le genou se trouve directement au-dessus de la hanche, et que le pied demeure dans l'alignement du genou. Maintenez la jambe dans cette position pendant que vous continuez à respirer. Essayez d'inspirer en comptant jusqu'à cinq et d'expirer en comptant jusqu'à cinq, jusqu'à ce que vous ayez effectué cinq respirations complètes.

C. En même temps que votre dernière expiration, reposez doucement la jambe au sol, en plaçant le pied exactement au même endroit où il se trouvait au départ. Inspirez afin de stabiliser à nouveau le bassin et de rétablir la position neutre.

D. En expirant, soulevez doucement la jambe gauche et placez-la à angle droit du sol, comme précédemment avec l'autre jambe, puis inspirez et expirez jusqu'à ce que vous ayez effectué cinq respirations complètes. En même temps que votre dernière expiration, reposez doucement la jambe au sol, en replaçant le pied dans sa position de départ. Roulez sur le côté et prenez un moment de repos.

A

REMARQUES

Cet exercice comporte deux grands défis : le premier consiste à s'assurer que la courbure du bas du dos reste la même quand vous soulevez et abaissez la jambe ; le second consiste à réduire au minimum le mouvement des hanches lors du changement de jambe. Essayez également de maintenir une pression égale sous les deux hanches, indépendamment de la jambe qui est soulevée. Prenez soin de ne pas basculer le bassin quand vous changez de jambe. Vous pouvez poser les mains au sommet des os iliaques, sur chacune des hanches, pour vérifier s'il y a mouvement lors du changement de jambe.

OBJECTIF ▸ Force
VISUALISATION ▸ Imaginez que vos hanches sont clouées au sol
RÉPÉTITIONS ▸ 5 respirations complètes de chaque côté

6

Pont sur les épaules

A. Allongez-vous sur le dos, les bras le long du corps. Imaginez qu'on vous tire vers une extrémité de la pièce par le sommet de votre tête et par le coccyx vers l'autre extrémité. Trouvez la position neutre du bassin et du bas du dos (voir pages 38 et 39). Tendez le bout des doigts vers les pieds afin d'abaisser les épaules. Inspirez afin de vous préparer au mouvement.

A

B. En expirant, imaginez que le bas de votre dos laisse une légère empreinte sur le matelas. Faites basculer le bassin vers le haut, de façon qu'il pointe vers le plafond. Le coccyx en premier, décollez une à une les vertèbres du sol.

C. Soulevez doucement les hanches jusqu'à ce que votre corps forme une pente, en vous appuyant sur les omoplates. Essayez de ne pas appliquer trop de pression sur le cou et les épaules. Pendant tout ce mouvement du corps vers le haut, concentrez-vous afin de contracter les muscles du plancher pelvien (voir pages 36 et 37). Puis, en inspirant, reposez doucement la colonne sur le matelas, une vertèbre à la fois. Lorsque les hanches touchent le sol, replacez le bassin en position neutre.

B

D. À mesure que votre ventre prendra du volume, il se peut qu'il devienne difficile pour vous de soulever les hanches très loin du sol. Vous pouvez alors réduire le mouvement et soulever les hanches à une hauteur moindre.

REMARQUES

Ce mouvement vise à ouvrir et à mobiliser l'ensemble de la colonne vertébrale. Assurez-vous de revenir chaque fois en position neutre, avant de laisser votre empreinte au sol et de recommencer le mouvement. Portez attention à la position des genoux, en vous assurant que ceux-ci demeurent parallèles en tout temps.

OBJECTIF ▸ Mobilité et force
VISUALISATION ▸ Appliquer au sol de la peinture au rouleau
RÉPÉTITIONS ▸ 5

D

Étirement de la jambe

A. Allongez-vous sur le dos, les genoux fléchis et les pieds posés à plat sur le sol. Assurez-vous que vos genoux et vos pieds sont parallèles, écartés de la largeur des hanches. Placez les pieds près de votre derrière, à une distance confortable. Trouvez la position neutre de la colonne et du bassin (voir pages 38 et 39), en prenant conscience du petit espace situé dans le bas du dos. Il importe de vous concentrer sur cet espace, en particulier lorsque vous exécuterez le mouvement. L'objectif consiste à garder cet espace constant pendant tout l'exercice, signe que vous aurez maintenu le bassin et la colonne en position neutre. Commencez par penser à votre respiration. Quand vous inspirez, essayez de faire en sorte que votre dos s'étale sur le matelas. Quand vous expirez, tirez le bébé vers l'intérieur et vers le bas, en direction de la colonne vertébrale. Il est possible que vous ayez de la difficulté à maintenir cette position. N'oubliez pas de tenir compte du temps et de ne pas rester allongée sur le dos pendant plus de cinq minutes. Si vous vous sentez étourdie ou prise de vertiges, roulez immédiatement sur le côté.

B. Placez les mains de chaque côté, sur les hanches, afin de mieux vous concentrer sur le maintien du bassin en position immobile lorsque vous bougerez les jambes. En même temps que votre prochaine expiration, glissez doucement la jambe droite vers l'avant, en gardant le pied en contact avec le sol. Concentrez-vous sur l'espace délimité par la courbe du bas du dos et le sol. Si cet espace s'agrandit, n'étendez pas la jambe plus loin vers l'avant. Inspirez et remontez doucement la jambe, en replaçant le pied là où il se trouvait au départ.

C. À l'expiration suivante, allongez la jambe gauche vers l'avant, puis repliez-la lentement à l'inspiration, en maintenant le bassin en position neutre. Après avoir effectué la totalité des répétitions prescrites, roulez sur le côté et prenez un moment de repos.

A

B

C

REMARQUES

La difficulté de ce mouvement consiste à rester en position neutre lorsque vous étendez la jambe et lorsque vous changez de jambe. Si vous vous sentez étourdie ou êtes prise de vertiges à un moment ou l'autre, interrompez immédiatement l'exercice et roulez sur le côté.

OBJECTIF ▸ Force
VISUALISATION ▸ Essayer de toucher le mur d'en face avec les orteils
RÉPÉTITIONS ▸ 5 pour chaque jambe

Variante de l'étirement de la jambe : A

Variante de l'étirement de la jambe : B

Variante de l'étirement de la jambe

A. Si vous êtes prête à augmenter quelque peu la difficulté du mouvement, essayez la variante qui suit. Suivez les instructions se rapportant au mouvement appelé la centaine (page 70). Soulevez une jambe à angle droit du sol, sans bouger les hanches.
B. Une fois la jambe droite placée à angle droit, le genou directement au-dessus de la hanche, étendez cette jambe vers le plafond en expirant. À l'inspiration, replacez la jambe à angle droit.
C. Répétez ce mouvement à cinq reprises, puis abaissez doucement la jambe. Passez ensuite à la jambe gauche, et exécutez de nouveau le mouvement à cinq reprises.

REMARQUES

Cette variante exige plus de force pour maintenir la position neutre. Si vous trouvez déjà le mouvement difficile, vous n'êtes probablement pas prête à exécuter cette variante.

ATTENTION !

Si l'espace sous la courbure du bas du dos s'agrandit, reposez immédiatement la jambe au sol et revenez au premier niveau.

Variante de l'étirement de la jambe : C

Ciseaux

A. Allongez-vous sur le dos, les genoux fléchis et les pieds posés à plat sur le sol. Assurez-vous que vos genoux et vos pieds sont parallèles, écartés de la largeur des hanches. Placez les pieds près de votre derrière, à une distance confortable. Trouvez la position neutre (voir pages 38 et 39), en prenant conscience du petit espace situé dans le bas du dos et en vous concentrant sur cet espace. Lorsque vous effectuez les mouvements, cet espace doit rester le même ; s'il s'agrandit, reposez les jambes par terre. N'hésitez pas à rouler sur le côté si vous vous sentez étourdie ou prise de vertiges.

B. En expirant, remontez doucement la jambe droite pour la placer à angle droit du sol, en vous assurant que le genou est directement au-dessus de la hanche et le pied dans l'alignement du genou. Inspirez.

C. En expirant, abaissez doucement la jambe, en ramenant le pied à son point de départ. Inspirez afin de stabiliser le bassin et de revenir à la position neutre.

D. À l'expiration, soulevez doucement la jambe gauche à angle droit du sol, comme précédemment. Inspirez puis expirez, en ramenant le pied à sa position de départ. Continuez d'alterner entre la jambe droite et la jambe gauche, en vous efforçant de maintenir le mouvement du bassin au minimum lors du changement de jambe. Roulez sur le côté et prenez un moment de repos.

REMARQUES

Cet exercice comporte deux grands défis : le premier consiste à s'assurer que la courbure du bas du dos reste la même quand vous soulevez et abaissez la jambe ; le second consiste à réduire au minimum le mouvement des hanches lors du changement de jambe. Essayez également de maintenir une pression égale sous les deux hanches, indépendamment de la jambe qui est soulevée. Prenez soin de ne pas basculer le bassin quand vous changez de jambe. Vous pouvez poser les mains au sommet des os iliaques, sur chacune des hanches, pour vérifier s'il y a mouvement lors du changement de jambe.

OBJECTIF ▸ Force
VISUALISATION ▸ Tremper les orteils dans l'eau
RÉPÉTITIONS ▸ 5 pour chaque jambe

A

B

C

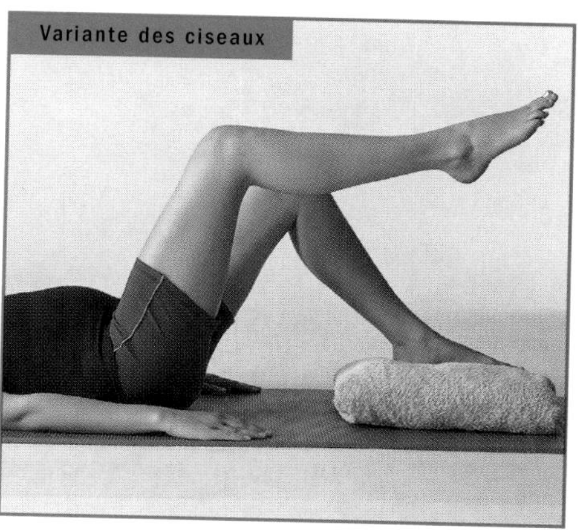

Variante des ciseaux

À mesure que votre grossesse progressera, il est possible que vous ayez de plus en plus de difficulté à soulever les jambes sans cambrer le bas de la colonne. La variante qui suit vous permettra de continuer à exécuter ce mouvement, car elle a pour effet d'éliminer toute pression dans le bas du dos.

Placez tout simplement un coussin, un tapis de yoga ou une serviette pliée sous vos pieds. À chaque répétition, ramenez les pieds sur le coussin au lieu de les déposer directement sur le sol. Posez les pieds délicatement sur le tapis ou la serviette, en essayant de ne pas les laisser retomber de tout leur poids.

ATTENTION !
Si la courbure du bas du dos s'accentue ou que vous éprouvez de l'inconfort dans la région de l'aine, posez les jambes sur le sol et roulez sur le côté.

9

Élévation latérale des jambes

A. Allongez-vous sur le côté droit en vous assurant que votre colonne est horizontale. Vos hanches, vos genoux et vos épaules devraient être alignés et parfaitement superposés. Tendez les jambes comme si vous essayiez de toucher le mur opposé. Étendez le bras droit au sol, sous la tête, à peu près dans le même alignement que votre bébé afin d'offrir soutien et équilibre, et gardez les épaules abaissées. Tout en maintenant cette position d'équilibre, inspirez et expirez. À l'expiration, essayez de soulever le plancher pelvien (voir pages 36 et 37).

B. Si vous vous sentez prête à aller plus loin et que vous êtes capable de tenir ainsi en équilibre, tout en demeurant en position neutre, soulevez doucement les deux jambes à environ 12 centimètres du sol en même temps que vous expirez. Exécutez cinq respirations complètes en restant dans cette position, les deux jambes suspendues au-dessus du sol. Lors de la dernière expiration, reposez doucement les jambes au sol, en maîtrisant le mouvement. Si vous éprouvez un sentiment d'inconfort ou de pincement dans le bas du dos, reposez immédiatement les jambes au sol.

C. Si vous êtes prête à progresser et êtes en mesure de rester en position neutre et de garder l'équilibre avec les jambes soulevées, essayez cette variante. Allongez le bras gauche le long du corps, en tendant le bout des doigts vers les orteils. À l'expiration, soulevez doucement la jambe du dessus seulement. En inspirant, redescendez la jambe, puis répétez le mouvement de l'autre côté.

REMARQUES

Ce mouvement met à l'épreuve votre capacité d'équilibre. Prenez votre temps avant de passer au niveau supérieur, en vous assurant de ne pas aller trop loin trop vite. Ajustez le niveau de difficulté et l'intensité selon l'étape de votre grossesse. Cette fois, en expirant, essayez de vous concentrer sur les muscles du plancher pelvien, en contractant ces muscles plutôt que de rentrer les muscles du bas de l'abdomen. Mais n'oubliez pas que lorsque vous faites travailler les muscles du plancher pelvien, les muscles inférieurs de l'abdomen seront aussi sollicités.

OBJECTIF ▸ Force, allongement
VISUALISATION ▸ Longue flèche tendue
RÉPÉTITIONS ▸ 5 respirations complètes

A

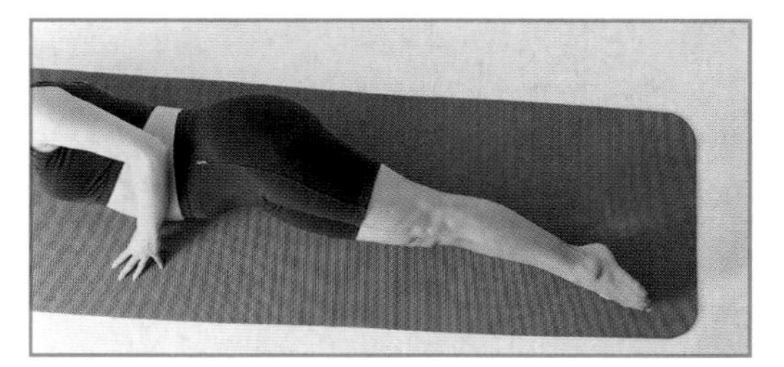

B

Variante de l'élévation latérale

Si vous vous sentez en mesure d'augmenter l'intensité du mouvement, soulevez doucement les deux jambes en expirant, puis inspirez et maintenez la position pendant un court moment. En expirant, glissez doucement la jambe du dessus vers l'avant.

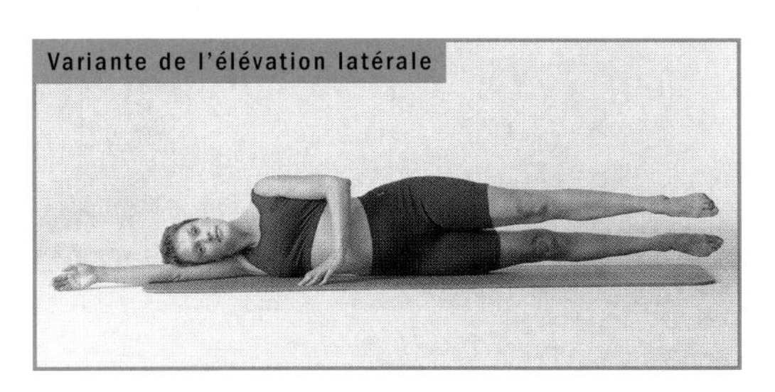
Variante de l'élévation latérale

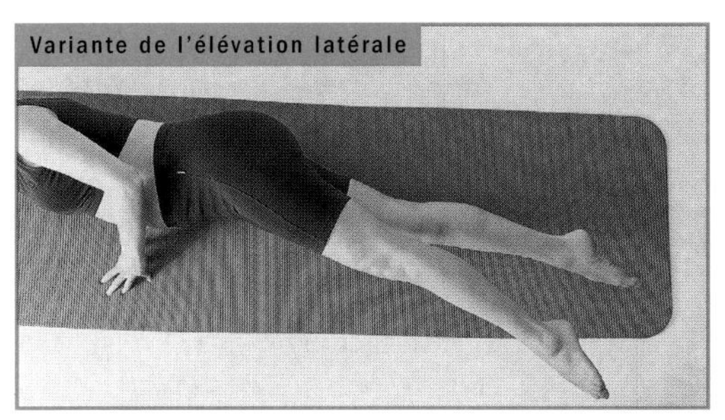
Variante de l'élévation latérale

Ensuite, inspirez en replaçant cette jambe au-dessus de la jambe inférieure. Répétez le mouvement à trois reprises. Enfin, déposez doucement les deux jambes au sol en expirant.

REMARQUES
Imaginez que vous tracez une ligne sur la plinthe de votre mur à l'aide du gros orteil. Placez une main au sol devant vous en guise de soutien.

ATTENTION !
Si vous éprouvez un sentiment d'inconfort ou de pincement dans le bas du dos ou dans la région de l'aine, reposez immédiatement les jambes au sol et prenez un moment de repos.

10

Étirement de la colonne vertébrale

A. Assoyez-vous sur une serviette pliée, un tapis de yoga ou un coussin, en vous plaçant près du rebord de façon à sentir votre poids basculer vers l'avant, c'est-à-dire vers le bassin. Étendez les jambes devant vous, écartées, et placez les mains au sol entre les jambes. Tenez-vous bien droite et allongez la colonne en imaginant qu'une ficelle attachée au sommet de votre tête vous tire vers le plafond. Abaissez les épaules en les éloignant des oreilles, afin de favoriser l'ouverture des muscles de la poitrine. Imaginez que vous êtes assise sur une chaise à dossier droit. Inspirez.

B. En expirant, rentrez les muscles du bas de l'abdomen et commencez à vous pencher doucement vers l'avant, comme si vous vous enrouliez autour d'un énorme ballon de plage et que vous tentiez d'imprimer dans le sable la marque de votre front. À l'inspiration, revenez doucement vers l'arrière en déroulant la colonne jusqu'à ce que vous soyez de nouveau assise dans la chaise à dossier droit imaginaire. Gardez les hanches immobiles et en contact avec la serviette.

REMARQUES

Ce mouvement est conçu pour accroître la mobilité de la colonne vertébrale. Il devrait également contribuer à soulager les douleurs dans le bas du dos, car il favorise l'allongement des muscles de cette région. Prenez soin de ne pas pousser le mouvement trop loin vers l'avant, et si vous éprouvez une sensation d'inconfort dans le bas du dos, arrêtez immédiatement. Assurez-vous de ne pas courber les épaules vers l'avant et de garder la poitrine la plus ouverte possible. Imaginez que vous vous enroulez autour d'un ballon de plage, et non pas que vous vous repliez sur vous-même.

A

B

OBJECTIF ▸ Force
VISUALISATION ▸ Enroulement autour d'un ballon de plage
RÉPÉTITIONS ▸ 5

Variante 1 de l'étirement de la colonne vertébrale

Gardez les bras dans l'alignement de la poitrine, en maintenant les épaules abaissées.

À mesure que votre bébé grossira, il se peut que vous ayez à modifier le mouvement en conséquence. Assoyez-vous en vous tenant bien droite, et croisez les bras de façon à toucher les coudes avec le bout des doigts.

ATTENTION !

Au début, évitez de pousser le mouvement trop loin.

Variante 1 de l'étirement de la colonne vertébrale

Variante 1 de l'étirement de la colonne vertébrale

Variante 2 de l'étirement de la colonne vertébrale : A

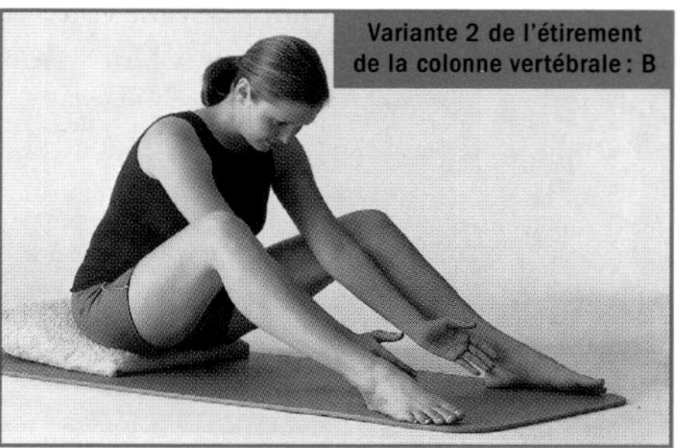
Variante 2 de l'étirement de la colonne vertébrale : B

Variante 2 de l'étirement de la colonne vertébrale

Essayez de ne pas laisser vos genoux s'affaisser de chaque côté. Au besoin, écartez davantage les pieds.

A. Il se peut que vous ayez de la difficulté à vous asseoir les jambes tendues. Vous pouvez alors modifier le mouvement en fléchissant les genoux et en rapprochant les pieds du corps.

B. À l'expiration, enroulez-vous lentement autour du ballon de plage (qui est beaucoup plus volumineux cette fois-ci). Lorsque vos avant-bras entrent en contact avec le ballon de plage, inspirez doucement et revenez à la position de départ.

Variante 3 de l'étirement de la colonne vertébrale

Variante 3 de l'étirement de la colonne vertébrale

N'oubliez pas de revenir en position droite à la fin de chaque mouvement. Essayez d'imaginer que vous faites délicatement rouler un ballon devant vous.

Vous pouvez aussi effectuer l'exercice en vous assoyant les jambes croisées. Cependant, cette position risque de créer une sensation d'engourdissement dans les jambes, en particulier si votre circulation sanguine est au ralenti. Vous devriez donc étendre les jambes entre chaque exercice. Essayez d'alterner d'une fois à l'autre la jambe que vous croisez sur le dessus.

ATTENTION !
Ce mouvement doit être effectué de façon continue. N'arrêtez-pas lorsqu'il arrive à son amplitude maximale vers l'avant.

11

Torsion de la colonne vertébrale

A. Assoyez-vous sur une serviette pliée, un tapis de yoga ou un coussin, en vous plaçant près du rebord de façon à sentir votre poids basculer vers l'avant, c'est-à-dire vers le bassin. Étendez les jambes devant vous, écartées, et croisez les bras de façon à toucher les coudes avec le bout des doigts. Tenez-vous bien droite et allongez la colonne en imaginant qu'une ficelle attachée au sommet de votre tête vous tire vers le plafond. Abaissez les épaules en les éloignant des oreilles, afin de favoriser l'ouverture des muscles de la poitrine. Imaginez que vous êtes assise sur une chaise à dossier droit. Inspirez.

B. En expirant, tournez la partie supérieure du corps vers la droite, en gardant le nez et le menton alignés avec le centre des bras (portez une montre ou un bracelet pour vous aider à localiser ce centre). Pendant la torsion, gardez les hanches immobiles et orientées vers l'avant.

C. Inspirez en retournant en position centrale. Allongez le corps et tenez-vous bien droite.

D. Expirez, et tournez doucement la partie supérieure du corps vers la gauche. Ne laissez pas vos coudes vous entraîner trop loin et vous écarter de l'axe central.

REMARQUES

Ce mouvement agit sur la mobilité de la partie supérieure du dos. Assurez-vous de ne pas vous écarter du centre lors du mouvement de torsion et de vous tenir bien droite. En expirant, attirez le bébé vers vous.

OBJECTIF ▸ Mobilité
VISUALISATION ▸ Assise sur une chaise à dossier droit
RÉPÉTITIONS ▸ 5 dans chaque direction

Variante 1 de la torsion de la colonne vertébrale

A. À mesure que votre grossesse progresse et que la taille de votre bébé augmente, il est possible que vous deviez apporter une petite modification à la position des mains et des jambes, histoire de vous sentir plus confortable. Fléchissez les genoux et placez les pieds à une distance raisonnable du coussin. Étendez les bras de chaque côté du corps comme si vous étiez entourée d'un bassin d'eau et que vous vouliez y tremper les doigts.

B. En expirant, tournez-vous lentement d'un côté, en laissant les bras traîner doucement dans l'eau. Gardez la tête droite et le menton dans l'alignement du centre de la poitrine. N'oubliez pas de vous tenir bien droite et de garder les épaules basses.

REMARQUES

Sentez les muscles de votre dos s'étirer et travailler. En même temps que vous tournez et que vous expirez, imaginez que vous tordez vos poumons afin d'en extraire tout l'air qu'ils contiennent.

ATTENTION !

Ne laissez pas votre dos s'affaisser quand vous effectuez la rotation. Allongez bien la taille.

Variante 1 de la torsion de la colonne vertébrale : A

Variante 1 de la torsion de la colonne vertébrale : B

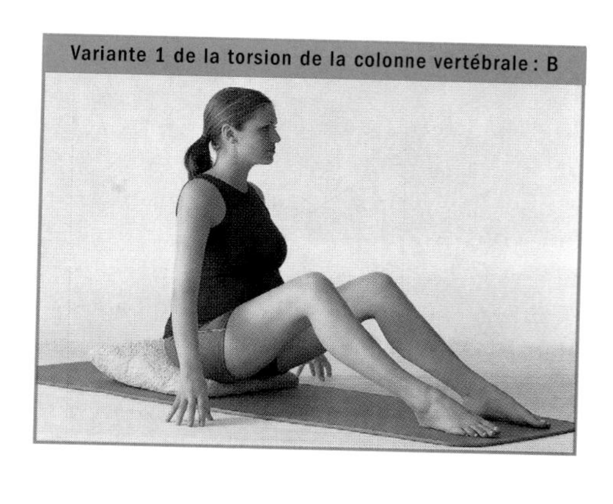

Variante 2 de l'étirement de la colonne vertébrale

Assurez-vous de maintenir le menton bien aligné avec le centre de la poitrine. Regardez devant vous et gardez la tête droite.

Il existe une autre variante de l'exercice qui est susceptible d'être plus facile à exécuter à mesure qu'augmentera la taille de votre bébé. Elle consiste à vous asseoir sur le coussin avec les chevilles croisées.

Variante 2 de l'étirement de la colonne vertébrale

12

Double étirement des bras

A. Allongez-vous sur le dos, les genoux fléchis et les pieds placés à une distance confortable du corps. Assurez-vous que vos pieds et vos genoux sont parallèles, écartés de la largeur des hanches. Placez la main droite au centre de la cage thoracique et laissez le bras gauche le long du corps. La main qui est posée sur la cage thoracique a pour rôle de déterminer si un mouvement se produit dans cette région lorsque vous soulevez l'autre bras et que vous le faites passer au-dessus de la tête. Essayez d'empêcher la cage thoracique de se soulever ou de se dilater. Si cela se produit, vous saurez que votre colonne n'est plus en position neutre et qu'elle décolle légèrement du sol.
B. Expirez, attirez le bébé vers vous et soulevez le bras gauche jusqu'à ce qu'il forme un angle de 90 degrés avec le corps.
C. En continuant d'expirer, faites passer le bras au-dessus de la tête.
D. Inspirez et décrivez des cercles avec le bras, en maintenant celui-ci juste au-dessus du sol.
E. En inspirant toujours, ramenez doucement le bras le long du corps. Changez de bras et refaites le même mouvement, en posant le bras opposé sur la cage thoracique.
F. Une fois que vous avez maîtrisé le mouvement et que vous êtes certaine de pouvoir faire des cercles avec un seul bras sans quitter la position neutre, vous pouvez corser quelque peu l'exercice en l'exécutant avec les deux bras.
G. Lorsque les bras passent au-dessus de votre tête, prenez conscience de la position de votre bassin et de vos hanches, et vérifiez mentalement qu'ils sont toujours en position neutre. Si vous constatez que vous êtes incapable de maintenir cette position, tenez-vous-en à la variante avec un seul bras.

A

B

REMARQUES
À l'origine, ce mouvement était exécuté allongé sur le dos avec les jambes repliées comme dans la centaine, les bras décrivant au-dessus du sol un mouvement circulaire. Nous n'avons retenu que la partie de cet exercice faisant intervenir la portion supérieure du corps, transformant du même coup un double étirement des jambes en un double étirement des bras.

OBJECTIF ▸ Force
VISUALISATION ▸ Étirement matinal
RÉPÉTITIONS ▸ 5

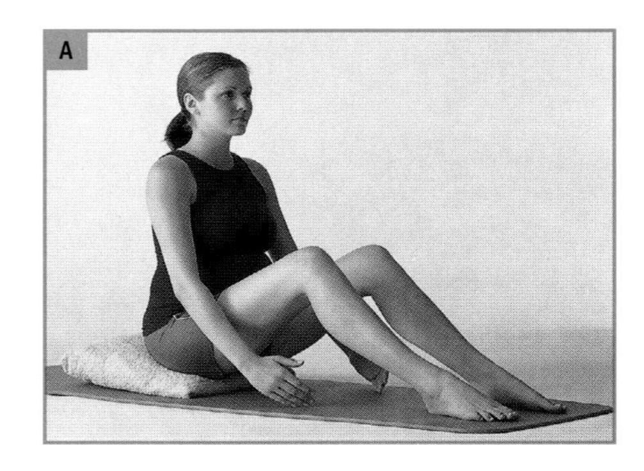

A

Variante du double étirement des bras

A. Au fur et à mesure que progresse votre grossesse, il se peut que vous éprouviez de plus en plus de difficulté à maintenir la position neutre lorsque vous soulevez les bras ou que vous vous sentiez mal à l'aise en position allongée sur le dos. Assoyez-vous bien droite sur un coussin, un tapis de yoga ou une serviette pliée, allongez la colonne et maintenez la position neutre. Imaginez que vous êtes assise sur une chaise à dossier droit. Détendez les bras et laissez-les pendre de chaque côté du corps.
B. À l'expiration, soulevez lentement les bras jusqu'à la hauteur de la tête, en vous assurant de garder les épaules baissées et la poitrine ouverte.
C. En continuant d'expirer, étirez les bras vers le plafond.
D. À l'inspiration, ramenez doucement les bras le long du corps en passant pas les côtés. Allongez la colonne et recommencez le mouvement à l'expiration.

B

REMARQUES
Utile aux stades plus avancés de la grossesse, cette variante vous permet de réaliser les mouvements d'étirement des bras, mais en position assise.

ATTENTION !
Assurez-vous de ne pas tendre le bras de façon excessive, au point de verrouiller l'articulation du coude. Évitez de voûter les épaules. Aucune pression ne devrait s'insinuer dans le bas du dos..

C

D

13

Traction des jambes sur le ventre

A. Commencez à quatre pattes, votre corps formant un carré avec le sol. Assurez-vous que vos mains sont directement en dessous de vos épaules et vos genoux directement sous vos hanches. Vos genoux et vos pieds devraient être parallèles, écartés de la largeur des hanches. Allongez le cou et tirez les épaules en direction opposée des oreilles. Gardez les yeux au sol.
B. Posez délicatement les coudes au sol. Transférez doucement votre poids vers l'avant, en glissant les genoux vers l'arrière de façon que l'avant de vos cuisses entre en contact avec le sol. Réalignez le bassin et la colonne afin de donner au bas de votre dos une courbure naturelle, sans cambrure exagérée, et d'éviter toute raideur ou inconfort dans cette région. Abaissez les épaules en les éloignant des oreilles et allongez la colonne. Commencez par trouver votre rythme respiratoire. Respirez dans le dos et les côtés (voir page 40). Inspirez, en ouvrant le dos. À l'expiration, attirez le bébé vers vous en faisant intervenir les muscles du bas de l'abdomen.

A

REMARQUES
Joseph Pilates s'est inspiré du yoga, discipline d'où provient le mouvement que l'on voit ici – la planche. Ce mouvement a été modifié en fonction des principes de la méthode Pilates. Si vous avez des problèmes de pression sanguine, cet exercice n'est pas recommandé. De plus, cet exercice deviendra de plus en plus difficile à mesure que grossira le bébé, et exigera une force croissante pour tirer vers vous le poids du bébé tout en maintenant la position neutre. Assurez-vous de ne pas laisser le bas de votre dos se creuser. Si vous éprouvez un sentiment d'inconfort ou encore un serrement dans cette région, interrompez l'exercice et prenez un moment de repos.

OBJECTIF ▸ Force
VISUALISATION ▸ Table à café
RÉPÉTITIONS ▸ 5 respirations, si possible

B

CHAPITRE TROIS

LES MOUVEMENTS POSTNATALS

postnatal

LES EXERCICES POSTNATALS

EN tant que nouvelle maman, vous lisez probablement pour la première fois cette partie du livre. Peut-être n'avez-vous jamais fait beaucoup d'exercice auparavant ou n'êtes-vous pas familiarisée avec la méthode Pilates. Il se peut aussi que vous ayez été dans l'impossibilité de suivre un programme de mise en forme pendant votre grossesse en raison de problèmes de santé ou autres. Quelle que soit votre situation, le présent livre vous aidera à reprendre la forme au lendemain de la grossesse.

Il est déconseillé de reprendre l'exercice avant la sixième semaine suivant l'accouchement, voire la dixième semaine si vous avez eu une césarienne ou un accouchement difficile. Il est possible que vous éprouviez de la difficulté à trouver le temps de faire de l'exercice tout en vous occupant de votre bébé et en remplissant vos engagements familiaux ou professionnels. Or, la période suivant l'accouchement constitue le meilleur moment pour rééduquer votre corps et pour changer votre façon de penser relativement à votre posture et à votre manière de bouger.

Votre corps vient de traverser des changements particulièrement remarquables, touchant non seulement votre posture, mais aussi vos articulations et vos muscles. Le programme qui suit vous permet de faire une série d'exercices en choisissant le niveau qui vous convient, en fonction de votre forme physique actuelle. Commencez toujours par le premier niveau, même si vous vous êtes déjà adonnée à des exercices de Pilates. Vous pourrez ainsi prendre le temps de comprendre comment bouge votre corps. Ne vous précipitez pas trop vite vers le niveau supérieur.

Avant d'entreprendre les exercices décrits dans les pages qui suivent, prenez le temps de lire les chapitres d'introduction, de la page 9 à la page 47, qui vous procureront une meilleure compréhension de votre corps ainsi que des principes et des techniques de la méthode Pilates.

Nous vous conseillons de vous exercer régulièrement, mais de commencer par des séances de courte durée. Certains des exercices portent tout particulièrement sur les muscles abdominaux transverses, et d'autres sur ceux du plancher pelvien (voir pages 36 et 37). Si votre accouchement a été difficile ou que le plancher pelvien a été endommagé, vous éprouverez au début de la difficulté à faire travailler le bassin. Si c'est le cas, commencez par les exercices axés sur les abdominaux transverses. En effet, les exercices faisant travailler ces muscles sollicitent aussi indirectement ceux du plancher pelvien, qui reprendra ainsi graduellement de la force. À mesure que vous renforcerez le plancher pelvien, vous pourrez commencer à exécuter des exercices portant spécifiquement sur cette région. Il est également essentiel que vous fassiez des exercices conçus pour fortifier le plancher pelvien, indépendamment du programme Pilates.

Si vous vous êtes servie du présent livre au cours de votre grossesse, vous possédez probablement déjà une bonne compréhension de la technique et des mouvements. Les variantes et les modifications suivantes peuvent convenir à toutes les nouvelles mamans. Adonnez-vous à ces mouvements au cours des prochains mois tout en continuant de faire les exercices destinés aux femmes enceintes. Ils s'avéreront bénéfiques même pour les femmes qui n'ont entrepris leur programme d'exercices qu'après l'accouchement.

ATTENTION!

Si vous avez éprouvé l'un ou l'autre des problèmes suivants soit avant, soit pendant votre grossesse, consultez votre médecin avant de commencer à faire des exercices :

- Problèmes de santé tels que des troubles rénaux ou cardiaques
- Pression sanguine élevée
- Bébé plus frêle que la moyenne
- Douleurs abdominales
- Anémie grave (carence en globules rouges)
- Épuisement
- Saignements, spotting ou pertes vaginales excessives
- Enflure prononcée des mains et des pieds
- Sentiment de faiblesse
- Diastase des grands droits (écartement de la ligne blanche) – voir page 24
- Séparation de la symphyse pubienne – voir page 26
- Prolapsus

Attentio

COMMENT DÉTERMINER LE NIVEAU QUI VOUS CONVIENT

L'amélioration de la posture et le renforcement des muscles profonds sont essentiels pour revenir à l'état de santé et à la forme physique dont vous jouissiez avant la grossesse. Or, il s'agit là d'un objectif accessible à toute nouvelle maman, qu'elle soit ou non déjà une adepte de la méthode Pilates. Tout ce que vous avez à faire est de déterminer le niveau qui vous convient. Les exercices décrits plus loin favoriseront une récupération rapide, en particulier du plancher pelvien, et contribueront également à améliorer la tonicité musculaire générale et la force globale de la région abdominale.

QUEL EST LE NIVEAU QUI VOUS CONVIENT ?

Entreprenez le niveau 1 si vous répondez par l'affirmative aux questions suivantes :

1. Avez-vous encore des saignements, du spotting ou des pertes vaginales excessives ?
2. Pouvez-vous encore insérer plus de deux doigts dans l'écartement de la ligne blanche (pages 26 et 27) ?
3. Constatez-vous encore une légère séparation de la symphyse pubienne (voir page 26) ?
4. Êtes-vous néophyte en matière de Pilates ?
5. Avez-vous un problème de santé qui pourrait être affecté par l'exercice ?

Entreprenez le niveau 2 si vous répondez par l'affirmative aux questions suivantes :

1. Vous êtes-vous adonnée à des exercices de Pilates au cours de votre grossesse ?
2. Vos muscles abdominaux se sont-ils réalignés, et l'écartement des grands droits est-il inférieur à deux doigts (voir pages 26 et 27) ?
3. Est-ce que toute perte ou tout saignement anormal a cessé ?
4. Êtes-vous capable de faire travailler les muscles du plancher pelvien ?

Entreprenez le niveau 3 si vous répondez par l'affirmative aux questions suivantes :

1. Depuis votre accouchement, vous adonnez-vous à la méthode Pilates depuis plus de deux mois ?
2. Possédez-vous une bonne compréhension des niveaux 1 et 2 ?
3. Êtes-vous capable de maintenir la position neutre sans problèmes ?
4. Possédez-vous une bonne compréhension de la technique de respiration Pilates et de celle permettant de vous centrer ?

Faites ces exercices pendant deux ou trois mois, puis revenez à cette section afin de réévaluer votre niveau.

MOUVEMENT	OBJECTIF	NIVEAU 1	NIVEAU 2	NIVEAU 3
Pompes	Force	1, 2, 3	1-9	1-9
Nage	Force	1, 2, 3	1, 2, 3	Variante
Enroulement vers l'avant	Force et mobilité	1, 2	1, 2	Variante
Centaine	Force	1	1, 2, 3, 4	1, 2, 3, 4
Étirement de la jambe	Force	1	2	2
Étirement de la colonne vertébrale	Mobilité	1, 2	1, 2	1, 2
Traction des jambes sur le ventre	Force	1	1	2
Pont sur les épaules	Mobilité et force	1, 2, 3	1, 2, 3	1-4
Élévation latérale des jambes	Force	1	1, 2	1, 2, 3, 4
Rouler comme une boule	Mobilité	1, 2, 3	1, 2, 3	Variante
Torsion de la colonne vertébrale	Mobilité	1, 2	1, 2	Variante
Flexion latérale	Force	1, 2	1, 2, 3	Variantes 1-3

Pompes

A. Tenez vous bien droite, en position neutre, les pieds écartés de la largeur des hanches, les genoux relâchés. Inspirez.
B. En expirant, rentrez les muscles du bas de l'abdomen vers la colonne. Penchez-vous progressivement vers l'avant, et commencez à enrouler lentement la colonne vers le bas. Dirigez le mouvement avec la tête, puis rentrez le menton vers la poitrine. Laissez les épaules rouler vers l'avant et le poids des bras vous tirer vers le bas aussi loin que possible sans perdre la maîtrise du mouvement. Détendez-vous, les genoux légèrement fléchis, et enroulez-vous jusqu'au sol. Portez attention à vos hanches, et si vous sentez qu'elles font saillie vers l'arrière, fléchissez un peu plus les genoux et descendez moins bas. Le mouvement devrait vous donner l'impression de vous replier sur vous-même.
C. Lorsque vous vous enroulez vers le bas, essayez d'aller aussi loin que possible sans forcer l'étirement. Si vous éprouvez une tension inconfortable dans le dos, fléchissez légèrement les genoux pour réduire le stress. Quand vous arrivez à la fin de la descente, inspirez et préparez-vous à passer aux pompes comme telles. Si vous n'arrivez pas à toucher le sol, allez le plus loin possible vers le bas, fléchissez les genoux et appuyez les mains sur les cuisses. Expirez, en contractant les abdominaux inférieurs.
D. Penchez-vous doucement vers l'avant, placez les mains au sol et faites-les avancer vers l'avant. Gardez le mouvement lent, fluide et sans heurts, comme si vous essayiez de procéder le plus silencieusement possible. Cessez d'avancer avec les mains lorsque vos genoux sont en dessous des hanches et que votre corps forme un carré avec le sol. Inspirez.

A

B

C

D

E. Gardez les mains et les épaules alignées. Imaginez qu'une ligne est tracée sur le sol entre vos deux mains. Inspirez, puis descendez légèrement le nez vers la ligne en fléchissant les bras. Ne vous en faites pas si vous ne pouvez pas atteindre le sol.
F. Expirez et poussez lentement avec les bras jusqu'à ce qu'ils soient pleinement étendus, les coudes légèrement fléchis.
G. En expirant, refaites le mouvement à reculons en revenant en position de déroulement, les mains sur les cuisses, les genoux fléchis et les pieds écartés de la largeur des hanches.
H. Continuez à dérouler, en faisant en sorte que le bassin revienne en position neutre. Imaginez que la colonne est un ascenseur qui monte les étages un à un, les vertèbres s'empilant l'une sur l'autre.
I. Pour terminer, tenez-vous debout en position neutre, en vous assurant que votre poids est réparti également sur vos pieds et que vos épaules sont abaissées et détendues. Inspirez, et préparez-vous à répéter le mouvement.

REMARQUES

Ce mouvement doit être effectué de façon continue. Essayez de le concevoir comme un seul et même mouvement, long et lent. Prenez soin de ne laisser aucune tension s'insinuer dans votre dos, et essayez de maintenir toutes les articulations dans l'alignement neutre (voir pages 38 et 39).

OBJECTIF ▸ Force
VISUALISATION ▸ Enroulement sur soi-même
RÉPÉTITIONS ▸ 5

2

Nage

A. Allongée sur le ventre, placez les bras en forme de diamant en fléchissant les coudes et en appuyant la tête sur les mains. Allongez le corps en étirant le cou et la colonne, et abaissez les épaules en les éloignant des oreilles. Allongez les jambes derrière vous, en les gardant écartées de la largeur des hanches. Commencez par bien respirer. À l'expiration, rentrez les abdominaux inférieurs, afin de créer un espace minuscule entre le nombril et le plancher. Prenez soin de ne pas contracter les muscles fessiers et de ne pas décoller les hanches du sol.
B. À l'expiration, soulevez et étirez la jambe droite derrière vous. Prenez soin de réduire au minimum le mouvement du bassin. Imaginez qu'un niveau à bulle est posé sur votre derrière : quand vous soulevez la jambe, vous devez faire en sorte que la bulle reste immobile. Assurez-vous que le petit espace qui se trouve entre votre nombril et le sol demeure le même.
C. En inspirant, abaissez doucement la jambe, sans faire bouger la bulle du «niveau à bulle». Expirez en soulevant la jambe gauche.

A

B

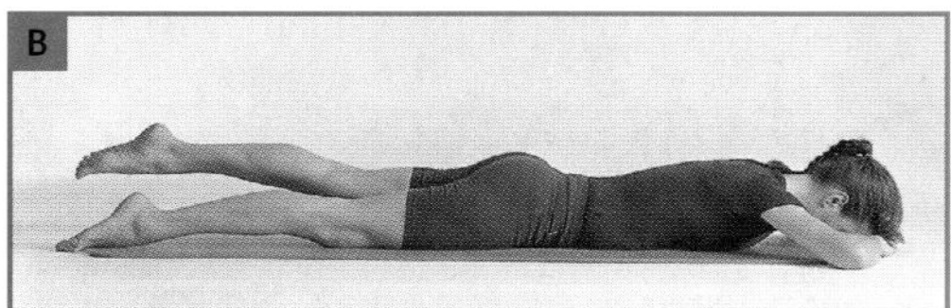

C

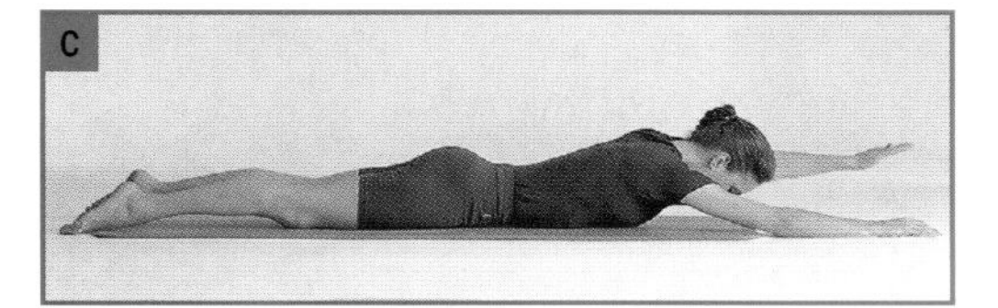

REMARQUES
Le mouvement devrait être exécuté de façon lente et maîtrisée. Essayez de soulever les deux jambes à la même hauteur. Si, en soulevant une jambe, vous avez de la difficulté à faire en sorte que l'espace qui se trouve sous le nombril demeure le même ou que les hanches restent immobiles, tenez-vous-en au premier niveau, en vous concentrant sur le maintien de la position neutre, la respiration et la mobilisation de votre centre. Si vous allaitez ou que vous éprouvez des tensions ou des douleurs dans le bas du dos, il se peut que vous ayez de la difficulté à rester étendue sur le ventre. Le cas échéant, reportez-vous aux pages 64 et 65 et exécutez la variante à quatre pattes du mouvement.

OBJECTIF ▶ Force
VISUALISATION ▶ Essayer d'atteindre le mur d'en face avec les orteils
RÉPÉTITIONS ▶ 5 pour chaque jambe

Variante avancée

Si vous souhaitez accroître quelque peu le degré de difficulté de l'exercice, essayez de soulever le bras opposé chaque fois que vous soulevez une jambe. Assurez-vous de soulever le bras et la jambe à la même hauteur, en gardant les épaules basses et relâchées. Essayez de garder le mouvement fluide et continu. Vous ne devriez soulever la jambe qu'à quelques centimètres du sol. Gardez les yeux baissés.

ATTENTION !
Essayez de ne pas contracter les muscles fessiers. Arrêtez et prenez un moment de repos si vous éprouvez une sensation d'inconfort ou de tension dans le bas du dos.

Variante avancée

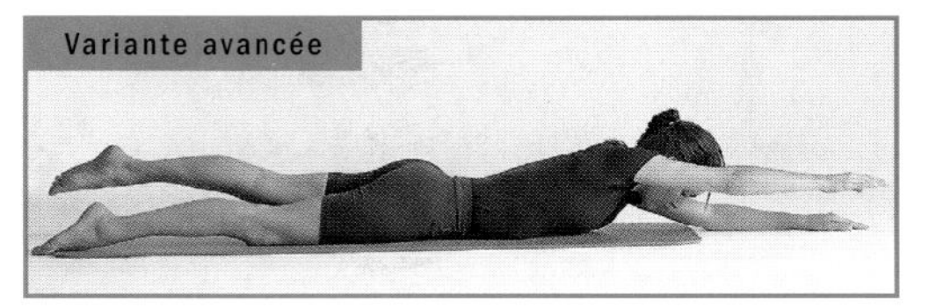

3

Enroulement vers l'avant

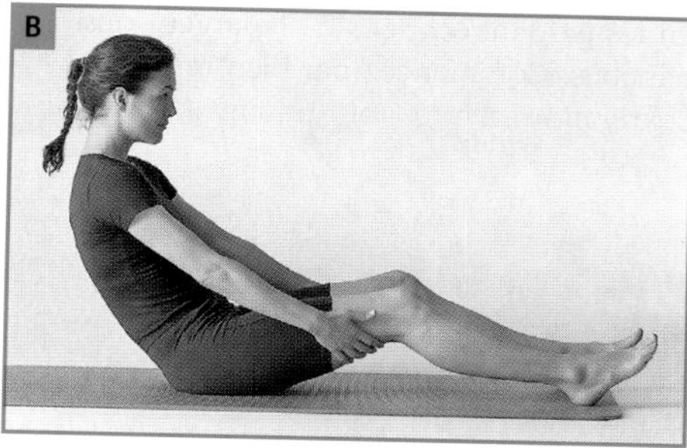

A. Commencez en position assise, les genoux fléchis et écartés de la largeur des hanches. Placez les mains derrière les cuisses pour faciliter le mouvement, en prenant soin de ne pas trop tirer sur les cuisses. Tenez-vous bien droite, comme si une ficelle attachée au sommet de votre tête vous tirait vers le plafond. Abaissez et reculez les épaules, en direction opposée des oreilles. Gardez les genoux fléchis, écartés de la largeur des hanches, et maintenez les pieds dans l'alignement des genoux et à une distance confortable du corps. Vous devriez être capable de demeurer assise sans voûter les épaules. Imaginez que vous êtes installée sur une chaise à dossier droit.
B. À l'inspiration, basculez doucement vers l'arrière en rentrant le bassin à mesure que vous déroulez. Descendez aussi loin que vous le pourrez, en autant que vous gardez la maîtrise du mouvement. C'est la souplesse de votre dos et la force de votre centre qui seront ici les facteurs déterminants. En expirant, revenez doucement en position assise. Tenez-vous bien droite et allongez le corps lorsque vous reprenez la position de départ.

REMARQUES
Dans cette version modifiée, assurez-vous que les deux parties du mouvement sont exécutées à la même vitesse et avec une maîtrise équivalente. Si vos pieds décollent du sol, c'est que le haut de votre corps est descendu trop bas vers l'arrière. Sentez l'allongement de la colonne lombaire lorsque vous vous basculez vers l'arrière. Essayez de bien rentrer le coccyx lorsque vous déroulez, comme si vous essayiez de laisser l'empreinte de votre derrière sur le matelas.

OBJECTIF ▸ Force
VISUALISATION ▸ Former une courbe en C dans le bas du dos
RÉPÉTITIONS ▸ 5-10

Variante de l'enroulement

Essayez d'exécuter le mouvement sans appuyer les mains sur les cuisses. Cela vous permettra de basculer plus loin vers l'arrière et augmentera le degré de difficulté lors du retour en position assise.

REMARQUES
Souvenez-vous qu'il importe davantage de conserver une bonne maîtrise du mouvement que de basculer loin vers l'arrière. Assurez-vous que les deux parties du mouvement sont exécutées à la même vitesse ainsi qu'à raison du même effort et avec une maîtrise équivalente. Si vos pieds décollent du sol, c'est que vous êtes descendue trop bas. Si vous éprouvez un sentiment de raideur ou d'inconfort dans le bas du dos, interrompez l'exercice et prenez un moment de repos.

Centaine

A. Allongez-vous sur le dos, les genoux et les pieds parallèles, écartés de la largeur des hanches. Trouvez la position neutre de la colonne et du bassin (voir pages 38 et 39). Concentrez-vous sur l'espace se trouvant dans le bas du dos, et faites en sorte qu'il demeure le même pendant l'exécution du mouvement. Le simple fait de maintenir la position neutre et de respirer constituera probablement pour vous une difficulté de taille.

B. Si vous vous sentez prête à passer au niveau suivant, à l'expiration, soulevez la jambe droite à angle droit du sol de façon que le genou soit juste au-dessus de la hanche. Maintenez la jambe dans cette position pendant cinq respirations complètes.

C. À votre dernière expiration, reposez doucement la jambe sur le sol, en ramenant le pied en position de départ. Assurez-vous que vous êtes toujours en position neutre.

D. À l'expiration suivante, répétez les trois étapes ci-dessus avec la jambe gauche, que vous soulèverez et garderez à angle droit du sol pendant cinq respirations complètes.

REMARQUES
Essayez de faire en sorte que l'espace se trouvant dans le bas du dos demeure le même pendant tout l'exercice. Essayez aussi de réduire au minimum le mouvement de bascule des hanches lorsque vous soulevez les jambes, en répartissant le poids également dans les deux hanches.

OBJECTIF ▶ Force
VISUALISATION ▶ Imaginer que les hanches sont clouées au sol
RÉPÉTITIONS ▶ 5 respirations complètes pour chaque jambe

A

B

5

Étirement de la jambe

A. Allongez-vous sur le dos, les genoux fléchis et les pieds à plat sur le sol. Placez-vous en position neutre. À l'expiration, glissez doucement la jambe droite vers l'avant, en l'étendant le plus loin possible sans quitter la position neutre. En inspirant, ramenez doucement la jambe en position de départ. Répétez le mouvement avec l'autre jambe.

B. Placez les mains de chaque côté, sur les hanches, afin de mieux vous concentrer sur le maintien du bassin en position immobile. En même temps que votre prochaine expiration, glissez doucement la jambe droite vers l'avant, en gardant le pied en contact avec le sol. Concentrez-vous sur l'espace délimité par la courbe du bas du dos et le sol. Si cet espace s'agrandit, n'étendez pas la jambe plus loin vers l'avant. Inspirez et remontez doucement la jambe, en ramenant le pied en position de départ.

REMARQUES
La difficulté de ce mouvement consiste à rester en position neutre lorsque vous étendez la jambe et lorsque vous changez de jambe.

OBJECTIF ▶ Force
VISUALISATION ▶ Essayer d'atteindre le mur d'en face avec les orteils
RÉPÉTITIONS ▶ 5 pour chaque jambe

A

B

6

Étirement de la colonne vertébrale

A. Assoyez-vous droite, les jambes étendues devant vous, les pieds joints et les bras croisés de façon que les doigts touchent les coudes. Tenez-vous bien droite et allongez la colonne en imaginant qu'une ficelle attachée au sommet de votre tête vous tire vers le plafond. Abaissez les épaules en les éloignant des oreilles, afin de favoriser l'ouverture des muscles de la poitrine. Imaginez que vous êtes assise sur une chaise à dossier droit. Inspirez.
B. En expirant, rentrez les muscles du bas de l'abdomen et commencez à vous pencher doucement vers l'avant, comme si vous vous enrouliez autour d'un énorme ballon de plage. Lorsque la marque de votre front s'imprime dans le sable, inspirez et revenez doucement vers l'arrière en déroulant la colonne jusqu'à ce que vous soyez de nouveau assise dans la chaise à dossier droit imaginaire. Gardez les hanches immobiles et en contact avec le sol.

REMARQUES
Ce mouvement contribue à accroître la mobilité de la colonne. Il devrait également contribuer à soulager les douleurs dans le bas du dos, car il favorise l'allongement des muscles de cette région. Prenez soin de ne pas pousser le mouvement trop loin, et si vous éprouvez une sensation d'inconfort dans le bas du dos, arrêtez immédiatement. Assurez-vous de ne pas courber les épaules vers l'avant et de garder la poitrine la plus ouverte possible. Imaginez que vous vous enroulez autour d'un ballon de plage, et non pas que vous vous repliez sur vous-même.

OBJECTIF ▸ Mobilité
VISUALISATION ▸ Enroulement autour d'un ballon de plage
RÉPÉTITIONS ▸ 5-10

B

B

7

Traction des jambes sur le ventre (la planche)

A. Appuyée sur les avant-bras, qui sont écartés de la largeur des épaules, transférez doucement votre poids vers l'avant tout en glissant les genoux vers l'arrière de façon que le dessus des cuisses entre en contact avec le sol. Trouvez la position neutre, en vous assurant que la courbure du bas du dos ne soit pas trop prononcée. Détendez les épaules et respirez. À l'expiration, essayez de contracter le centre du corps.

B. Si vous souhaitez accroître l'intensité de l'exercice, fléchissez les pieds et placez les orteils au sol, puis tendez le corps en poussant sur les talons tout en soulevant les genoux du sol. Vos hanches devraient être à la même hauteur que vos épaules. Essayez de maintenir la position pendant cinq respirations.

REMARQUES
Essayez de ne pas induire de tension dans le cou et les épaules. Gardez votre respiration lente et détendue. Concentrez-vous sur le maintien de la position neutre.

OBJECTIF ▸ Force
VISUALISATION ▸ Dessus de table
RÉPÉTITIONS ▸ 5-10 respirations

A

B

8

Pont sur les épaules

A. Allongez-vous sur le dos en position neutre, les bras le long du corps. Imaginez qu'on vous tire vers une extrémité de la pièce par le sommet de la tête, et par le coccyx vers l'autre extrémité. Abaissez les épaules et inspirez en préparation du mouvement.

B. En expirant, imaginez que le bas de votre dos laisse une légère empreinte sur le matelas. Faites basculer le bassin vers le haut, de façon qu'il pointe vers le plafond. Le coccyx en premier, décollez une à une les vertèbres du sol.

C. Soulevez doucement les hanches jusqu'à ce que votre corps forme une pente, en vous appuyant sur les omoplates. Essayez de garder les épaules détendues. Cette fois-ci, au lieu de vous concentrer sur les muscles du bas de l'abdomen, soulevez les muscles du plancher pelvien à l'expiration (voir pages 36 et 37). Puis, en inspirant, déroulez doucement la colonne sur le matelas, une vertèbre à la fois. Lorsque les hanches touchent le sol, replacez le bassin en position neutre.

D. Si vous vous sentez prête à relever un défi plus corsé, lorsque votre corps arrive à son point de soulèvement maximal, allongez les bras au-dessus de la tête en inspirant. À l'expiration, reposez progressivement le dos au sol, en ramenant lentement les bras au point de départ. Les hanches devraient entrer en contact avec le sol en même temps que les mains.

REMARQUES

Ce mouvement vise à ouvrir et à mobiliser l'ensemble de la colonne vertébrale. Assurez-vous de revenir chaque fois en position neutre, avant de laisser votre empreinte au sol et de recommencer le mouvement. Portez attention à la position des genoux, en vous assurant que ceux-ci demeurent parallèles en tout temps.

OBJECTIF ▸ Mobilité et force
VISUALISATION ▸ Appliquer au sol de la peinture au rouleau
RÉPÉTITIONS ▸ 5

D

9

Élévation latérale des jambes

A. Allongez-vous sur le côté droit en vous assurant que votre colonne, vos hanches, vos genoux et vos épaules sont alignés horizontalement. Tendez les jambes comme si vous essayiez de toucher le mur opposé. Étendez le bras droit au sol, sous la tête, à peu près dans le même alignement que votre nombril afin d'offrir soutien et équilibre. Gardez les épaules abaissées. Tout en maintenant cette position d'équilibre, inspirez et expirez. À l'expiration, essayez de vous concentrer sur le plancher pelvien.
B. Si vous vous sentez prête à aller plus loin et que vous êtes capable de tenir ainsi en équilibre, tout en demeurant en position neutre, soulevez doucement les deux jambes à environ 12 centimètres du sol en même temps que vous expirez. Exécutez cinq respirations complètes en restant dans cette position, les deux jambes suspendues au-dessus du sol. Lors de votre dernière expiration, reposez doucement les jambes au sol, en maîtrisant le mouvement.
C. Une fois que vous êtes capable d'exécuter le mouvement en maintenant l'équilibre, passez au niveau suivant, qui prévoit l'ajout d'un coup de pied. En gardant la jambe du dessous au sol, soulevez celle du dessus à la hauteur des hanches. En expirant, glissez doucement la jambe vers l'avant, comme si vous vouliez tracer une ligne avec vos orteils sur la plinthe du mur d'en face. À l'inspiration, ramenez la jambe à son point de départ, sans la reposer de tout son poids sur la jambe du dessous.
D. Si vous êtes prête à progresser et êtes en mesure de rester en position neutre et de garder l'équilibre avec les jambes soulevées, essayez cette variante. Allongez le bras gauche le long du corps, en tendant le bout des doigts vers les orteils. Respirez en maintenant la position.

REMARQUES
Ce mouvement met à l'épreuve votre capacité d'équilibre. Prenez votre temps avant de passer au niveau supérieur, en évitant d'aller trop loin trop vite. Réduisez le niveau de difficulté et l'intensité de l'exercice si vous avez de la difficulté à effectuer le mouvement de façon maîtrisée. Cette fois, en expirant, essayez de vous concentrer sur les muscles du plancher pelvien, en contractant ces muscles plutôt que de rentrer les muscles du bas de l'abdomen. Mais n'oubliez pas que lorsque vous faites travailler les muscles du plancher pelvien, les muscles inférieurs de l'abdomen seront eux aussi sollicités.

OBJECTIF ▸ Force et allongement
VISUALISATION ▸ Longue flèche tendue
RÉPÉTITIONS ▸ 5 respirations complètes

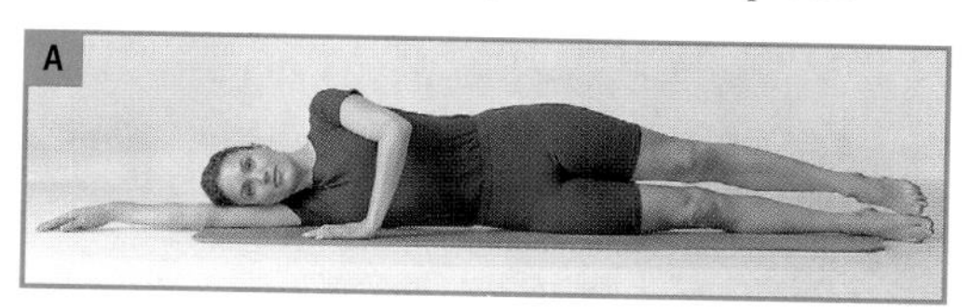
A

B

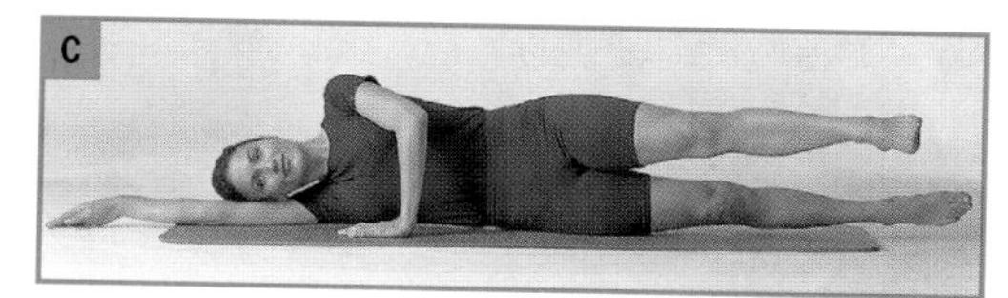
C

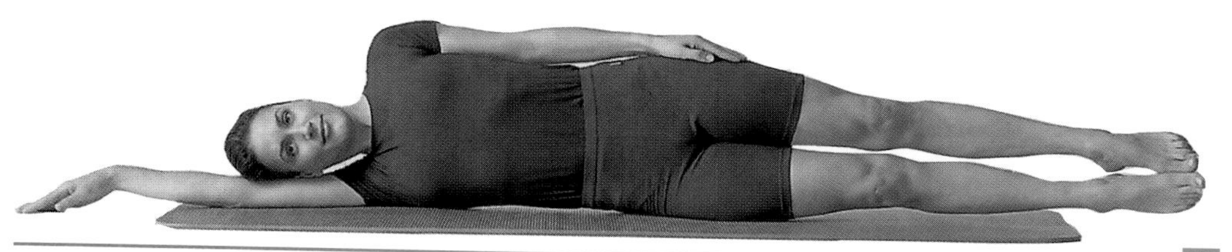
D

10

Rouler comme une boule

A. Assoyez-vous droite, en imaginant qu'une ficelle vous tire par le sommet de la tête vers le plafond. Fléchissez les genoux, gardez les pieds joints au sol et placez les mains de chaque côté du corps.
B. En inspirant doucement, retroussez le bassin vers le haut et basculez vers l'arrière, en gardant le menton près de la poitrine et la colonne arrondie.
C. Roulez sur le dos sans dépasser les épaules. Pour vous redresser, utilisez les bras en poussant doucement contre le sol, afin de revenir plus facilement en position assise. Gardez les abdominaux rentrés et commencez à expirer lentement. Essayez de reproduire le mouvement d'un fauteuil à bascule. Terminez l'expiration en arrivant en position assise, et allongez la colonne vers le plafond. Essayez de rendre la roulade aussi fluide que possible.

REMARQUES
Il vous faut faire preuve de patience et de douceur avec votre colonne jusqu'à ce que vous sentiez que rouler comme une boule est devenu pour vous un mouvement naturel et que vous êtes capable de revenir aisément en position assise. Si vous avez des problèmes de dos, il et possible que cet exercice ne vous convienne pas. Cessez l'exercice si vous éprouvez de l'inconfort.

OBJECTIF ▸ Mobilité
VISUALISATION ▸ Fauteuil à bascule
RÉPÉTITIONS ▸ 5-10

A

B

C

Variante de la roulade

A. Une fois que vous avez maîtrisé le mouvement de roulade, essayez de vous passer des bras. Placez les mains sur les tibias.
B. Tout en roulant vers l'arrière, gardez les mains sur les tibias, et essayez de garder constante la distance qui sépare votre poitrine de vos cuisses, de même que celle qui sépare votre derrière de vos pieds.

REMARQUES
Essayez de ne pas atterrir trop brusquement sur les pieds et de ne pas vous servir des jambes pour accomplir le mouvement. Le mouvement devrait être fluide et continu.

ATTENTION !
Ne roulez pas jusqu'à la tête ou le cou – ne dépassez pas les omoplates.

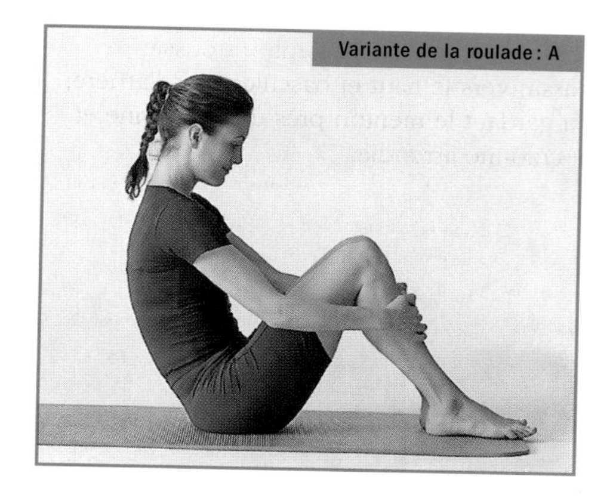
Variante de la roulade : A

Variante de la roulade : B

11

Torsion de la colonne vertébrale

A. Assoyez-vous droite, les jambes devant vous et les pieds joints, et croisez les bras de façon à toucher les coudes avec le bout des doigts. Tenez-vous bien droite et allongez la colonne en imaginant qu'une ficelle attachée au sommet de votre tête vous tire vers le plafond. Abaissez les épaules en les éloignant des oreilles, afin de favoriser l'ouverture des muscles de la poitrine. Inspirez. **B.** En expirant, tournez la partie supérieure du corps vers la droite, en gardant le nez et le menton alignés avec le centre des bras (portez une montre ou un bracelet pour vous aider à localiser ce centre). Pendant la torsion, gardez les hanches immobiles et orientées vers l'avant. Inspirez et retournez au centre, en allongeant le corps et en restant droite. En expirant, tournez doucement vers la gauche.

A

REMARQUES
Ce mouvement agit sur la mobilité de la partie supérieure du dos. Assurez-vous de ne pas pousser la torsion trop loin, et de demeurer assise bien droite. En expirant, rentrez les muscles du bas de l'abdomen. Dans le présent livre, nous vous avons fourni plusieurs variantes de ce mouvement, portant tour à tour sur la position de la partie supérieure et sur celle de la partie inférieure du corps. Essayez de combiner ces variantes jusqu'à ce que vous trouviez une position qui vous permette de garder le dos droit et de bien maîtriser le mouvement.

OBJECTIF ▸ Mobilité
VISUALISATION ▸ Rotation
RÉPÉTITIONS ▸ 5-10

B

Variante de la torsion de la colonne vertébrale

A. Il existe une autre variante de la torsion de la colonne, qui consiste à fléchir les genoux et à placer les pieds à plat sur le sol.

B. Si vous avez de la difficulté à ne pas déroger de votre axe central lorsque vous effectuez la torsion, essayez de joindre les deux mains en position de prière. Placez les pouces sur le sternum (l'os situé au milieu de la poitrine).

REMARQUES

Vous pouvez vous asseoir sur un tapis de yoga ou une serviette pliée, comme nous l'avons déjà expliqué, en particulier si vous avez de la difficulté à vous tenir droite en position assise. Essayez de garder le mouvement fluide et continu. Si vous avez de la difficulté à garder les bras croisés, reportez-vous aux variantes de ce mouvement expliquées précédemment dans le présent ouvrage (pages 82 et 83).

Variante de la torsion de la colonne vertébrale : A

Variante de la torsion de la colonne vertébrale : B

12

Arc de côté

A. Commencez par vous allonger sur le côté, les genoux fléchis et les hanches superposées. Appuyez-vous sur l'avant-bras droit, en vous assurant de ne pas reporter le poids du corps dans l'épaule droite. Placez la main gauche à plat devant vous.
B. En expirant, soulevez les hanches du sol. N'allez que jusqu'à une hauteur qui vous permette de garder la maîtrise du mouvement et de maintenir l'équilibre. Inspirez en redescendant doucement le corps, afin de revenir en position de départ.
C. En même temps que vous soulevez les hanches et que vous expirez, décrivez un arc de cercle avec le bras, en tendant celui-ci au-dessus de la tête jusqu'à ce que vous sentiez que votre corps est pleinement étiré.

REMARQUES
Assurez-vous que les hanches demeurent alignées, l'une au-dessus de l'autre, pendant tout l'exercice, en prenant soin de ne pas basculer vers l'avant ou vers l'arrière. Allongez-vous doucement sur le côté, de façon que les hanches soient à peine en contact avec le sol. Exécutez le mouvement à partir du centre du corps et non de l'épaule.

OBJECTIF ▸ Force
VISUALISATION ▸ S'étirer au-dessus d'un gros ballon
RÉPÉTITIONS ▸ 5-10

B

C

Variante de l'arc de côté

A. Allongez-vous sur la hanche droite, le coude et la main droite posés sur le tapis. Assurez-vous que les hanches sont alignées et que le poids n'est pas reporté dans l'épaule droite. Fléchissez la jambe gauche et placez-la devant la jambe droite, qui devrait être tendue. Relâchez les épaules et ouvrez la poitrine.
B. En expirant, soulevez la hanche droite du sol. Placez le pied gauche à plat sur le sol pour mieux vous stabiliser. En inspirant, redescendez doucement les hanches vers le sol, sans pour autant entrer en contact avec celui-ci.
C. En même temps que vous soulevez les hanches et que vous expirez, décrivez avec le bras gauche un arc de cercle au-dessus de la tête. Tendez le bras jusqu'à ce que vous sentiez que votre corps est en pleine extension.

Variante de l'arc de côté : A

Variante de l'arc de côté : B

REMARQUES
Ce mouvement vise à accroître la force du torse. Augmentez la difficulté du mouvement en soulevant les hanches de plus en plus haut. Assurez-vous toutefois de ne pas les soulever au point de quitter la position neutre.

Variante de l'arc de côté : C

REMERCIEMENTS

J'aimerais remercier toute l'équipe du Pilates Institute UK, c'est-à-dire Malcolm Muirhead, Yolande Green et Nuala Coombs, et tous les autres dont le dévouement et l'apport ont été essentiels à la promotion de la méthode Pilates sous toutes ses formes et au rayonnement dont elle jouit aujourd'hui dans de nombreuses parties du monde. Parmi toutes les personnes qui ont influencé mon enseignement ainsi que ma compréhension de tout ce que la méthode Pilates peut apporter, j'aimerais remercier de tout cœur Judith Aston qui a eu confiance en notre capacité de transmettre ses connaissances au grand public. La technique de Judith est aujourd'hui largement appliquée dans l'enseignement du Pilates. Grâce aux intervenants du domaine médical qui dialoguent avec eux sur une base quotidienne, les instructeurs de Pilates disposent dorénavant de meilleurs outils afin de répondre adéquatement aux besoins de leurs clients. Je dédie ce livre à toutes les futures mères qui, je l'espère, auront recours à l'information qu'il contient pour se préparer à la naissance de leur enfant; je leur souhaite de continuer à s'en servir pendant les mois et les années qui suivront.

MICHAEL KING

Michael avait l'habitude de dire, à propos de l'écriture de son premier livre, qu'il s'agissait d'un processus comparable à un accouchement : neuf mois de stress et d'inquiétudes, suivis d'une période douloureuse rapidement oubliée et remplacée par un accès de joie lorsqu'on tient le produit final entre les mains, rempli de la satisfaction du devoir accompli. Je crois qu'il n'y a pas de meilleure façon de décrire le processus qui a mené à la publication du présent livre. Comme pour tout projet, il n'aurait pas été possible sans le soutien de ma famille, de mes amis et de mes collègues. Je sais que nous aimerions tous deux remercier Malcolm, Nuala et toute l'équipe du Pilates Institute de leur appui. Je tiens aussi personnellement à exprimer toute ma gratitude à ma mère, à mon père, à mon frère Denzil et à ma sœur Bev pour le soutien indéfectible qu'ils m'ont apporté durant toute ma carrière, et sans qui je n'aurais jamais pu atteindre mes objectifs. Je voudrais également dire merci à mes amis proches, Pete, Hannah, Michele et Claire, qui m'ont toujours tendu la main, même durant les moments où la rédaction du présent livre m'a rendue carrément insupportable. Enfin, merci à mes amis de leur soutien et de leur encouragement.

YOLANDE GREEN

INDEX

Le nom de chacun des mouvements est indiqué en **caractères gras** *dans l'index qui suit.*

Achevé d'imprimer au Canada
en juin 2004
sur les presses des Imprimeries Transcontinental Inc.